Quando tudo está em chamas

Quando tudo está em chamas

Fé que surge das cinzas

BRIAN ZAHND

Traduzido por Almiro Pisetta

Copyright © 2021 por Brian Zahnd
Publicado originalmente por InterVarsity Press,
Downers Grove, Illinois, EUA.

Os textos das referências bíblicas foram extraídos da *Nova Versão Transformadora* (NVT), da Tyndale House Foundation, salvo as seguintes indicações: *Almeida Revista e Corrigida* (RC) e *Almeida Revista e Atualizada*, 2ª edição (RA), ambas da Sociedade Bíblica do Brasil; e *Almeida Século 21* (A21), da Editora Vida Nova.

Todos os direitos reservados e protegidos pela Lei 9.610, de 19/02/1998.

É expressamente proibida a reprodução total ou parcial deste livro, por quaisquer meios (eletrônicos, mecânicos, fotográficos, gravação e outros), sem prévia autorização, por escrito, da editora.

Edição
Daniel Faria

Revisão
Natália Custódio

Produção
Felipe Marques

Diagramação
Marina Timm

Colaboração
Ana Luiza Ferreira

Adaptação de capa
Ricardo Shoji

Cip-Brasil. Catalogação na publicação
Sindicato Nacional dos Editores de Livros, RJ

Z24q

Zahnd, Brian
   Quando tudo está em chamas : fé que surge das cinzas / Brian Zahnd ; tradução Almiro Pisetta. - 1. ed. - São Paulo : Mundo Cristão, 2022.
   224 p.

   Tradução de: When everything's on fire
   ISBN 978-65-5988-133-8

   1. Fé. 2. Cristianismo. 3. Espiritualidade. I. Pisetta, Almiro. II. Título.

22-78324
CDD: 234.2
CDU: 27-423.79

Gabriela Faray Ferreira Lopes - Bibliotecária - CRB-7/6643

Categoria: Espiritualidade
1ª edição: agosto de 2022

Publicado no Brasil com todos os direitos reservados por:
Editora Mundo Cristão
Rua Antônio Carlos Tacconi, 69
São Paulo, SP, Brasil
CEP 04810-020
Telefone: (11) 2127-4147
www.mundocristao.com.br

Para Anthony e António

*Como sabes que cada ave que sulca a rota do céu
É um mundo imenso de prazer,
capturado por teus cinco sentidos?*
WILLIAM BLAKE

Sumário

Prefácio de Bradley Jersak — 9
Prelúdio — 15

PARTE I: QUANDO TUDO ESTÁ EM CHAMAS

1. O louco da lanterna — 23
2. Desconstruindo a desconstrução — 38
3. O dia em que Derrida morreu — 47
4. O fim é o começo — 59
5. A perda de Jesus — 77
6. A noite escura do desconhecer — 96
7. O único fundamento — 111
8. Completamente a sós no andar de cima — 132

PARTE II: FÉ QUE SURGE DAS CINZAS

9. Um místico ou absolutamente nada — 153
10. A graça da segunda ingenuidade — 169
11. A casa do amor — 183

Conclusão: Cada arbusto em chamas — 199
Agradecimentos — 214
Notas — 216

Prefácio

Bradley Jersak

Frankenstein e Fausto ainda estão na moda
Inconfessos, o mal que divide já feito.
Mas, no vento, o distante som de um tambor
E a doçura de um sábio
Uma era melhor ainda podem trazer.

STEVE BELL, "WOULDN'T YOU LOVE TO KNOW"

Amigos da verdade, este livro que vocês vão ler levou-me a lágrimas de dor e de alegria. Chorei pelas trevas reveladas como trevas e sorri com esperança quando a manhã da Páscoa se desvelou novamente. Este livro é a palavra do Senhor (graças sejam dadas a Deus). Sei disso porque "o testemunho de Jesus é o espírito da profecia", e esse Espírito reverbera em todas estas páginas.

Brian Zahnd é uma combinação única de pastor, profeta e poeta: ele é um pregador, um filósofo e um místico. É um homem de oração que nos ensina a orar. Não, ele não é Jesus, mas conhece Jesus. Eles se sentam juntos diariamente. De sua amizade com Jesus Cristo, as palavras e obras de BZ emergem como um candente relato da minoria, uma síntese de beleza, verdade e justiça mediadas pelo amor cruciforme.

Como me sinto grato pelo seu testemunho! Como estou feliz por nossas vidas terem se tornado uma colaboração! Eu me senti muito satisfeito ao constatar o profundo engajamento de Brian com Nietzsche, Dostoiévski, Kierkegaard et al., dada nossa mútua consideração pelas importantes contribuições e críticas desses autores em relação às trevas do presente. Acima de tudo, porém, sinto-me entusiasmado (embora não surpreso) ao ver como Brian encaminha para a luz os que estão confusos, os decepcionados e iludidos. Nesse sentido, ele me surpreende como uma espécie de Sócrates consumado em Cristo. Permita-me explicar... não, isso seria demais. Permita-me resumir.

Em *A República* de Platão, o sábio Sócrates apresenta sua famosa mas muitas vezes mal entendida analogia da caverna. No antro de uma caverna escura, encontramos a companhia de melancólicas figuras acorrentadas, tão imobilizadas que só podem olhar para a frente. Elas fitam o muro da caverna, fixando-se em sombras projetadas por objetos que transitam diante do fogo atrás delas. Não podem imaginar nenhuma outra realidade além daquelas figuras dançantes. Sua miopia antecipa as massas do século 21, fascinadas por *smartphones*, enganadas pela estranha noção de que qualquer coisa que sua luz azulada diga é real. Nosso apego a "notícias" de entretenimento, teorias da conspiração e à matriz do espectro ideológico é uma pseudorrealidade distorcida como que num Photoshop bisonho e com sincronia labial ruim.

Inexplicavelmente, isto é, *pela graça*, um dia as correntes de um dos prisioneiros são rompidas. Sócrates não diz como. Mas o salmista diz:

> Estavam sentados na escuridão e em trevas profundas,
> presos com as algemas de ferro do sofrimento.
> Rebelaram-se contra as palavras de Deus
> e desprezaram o conselho do Altíssimo.
> Por isso ele os sujeitou a trabalhos pesados;
> caíram, e não houve quem os ajudasse.
> Em sua aflição, clamaram ao S{\sc enhor},
> e ele os livrou de seus sofrimentos.
> Tirou-os da escuridão e das trevas profundas
> e quebrou suas algemas.
>
> Salmos 107.10-14

Voltemos agora a Platão e *A República*. Inicialmente, o prisioneiro que se vira para trás vê a fogueira. Finalmente alguma luz concreta! Luz produzida pelo homem, com certeza, mas é um começo. Fogueiras são bonitas. São quentes e oferecem certo conforto. Posso passar horas contemplando as chamas. Hipnotizado. E nunca deixar a caverna.

> Mas tenham cuidado, vocês que vivem em sua própria luz
> e se aquecem em seu próprio fogo.
> Esta é a recompensa que receberão de mim:
> em breve cairão em grande tormento.
>
> Isaías 50.11

Isaías viu o perigo séculos antes de Platão. Que perigo? O da segunda ilusão: viu que todos aqueles momentos de conscientização que provamos na terapia pessoal ou nos movimentos sociais (por melhores que sejam) constituem uma iluminação. Como se minha desconstrução e recém-descoberta autoconsciência fosse a realidade suprema. Não é tanto assim. Fogueiras constituem um bom ponto de vista em nossa jornada para o alto e para fora, mas agarrar-nos a elas significa que continuamos presos na caverna.

É nesse ponto que o Sócrates de Platão é entendido erroneamente. A caverna, para ele, não é nossa existência terrena. Ele não é um gnóstico tentando escapar do mundo material, assim como Paulo também não foi. A caverna para ele é "o mundo" de 1João 2.15-17 — o sistema mundano definido pela "concupiscência da carne, a concupiscência dos olhos e a soberba da vida" (RA). Esse mundo e seus desejos, diz João, são passageiros. Uma escuridão que à luz de Cristo já está desaparecendo.

A esta altura, alguém precisa tirar o prisioneiro da caverna. Quem faz isso? Talvez Sócrates pensou que seria um mentor como ele mesmo ou sua didática dialógica. Talvez esse seja o papel de BZ. O que me impressiona é *a ação de tirar*. O que me tira de meu sono é muitas vezes o frio golpe da tragédia ou a dor que eu mesmo causo em mim ou o rude choque da descoberta de que em toda a minha vida acreditei em mentiras.

Seja como for, isso nos leva para o limiar da caverna — nosso primeiro vislumbre da verdadeira luz do sol. Para Platão, o sol representa Deus ou o Bem. A contemplação do sol é um verdadeiro choque no início. Os olhos precisam se adaptar. Talvez você precise começar a manter os olhos meio fechados diante dos reflexos do sol num lago. Será que eu poderia sugerir o mar da Galileia? Mas a questão é que o mesmo sol que criou seus olhos agora também os ilumina com tudo ao seu redor. Você não está abandonando esta existência, mas está vendo que ela é maior e mais brilhante e mais inflamada de glória do que você jamais imaginou. O mundo todo se transforma no arbusto transfigurado de Moisés.

A tradição mística cristã atribuiu a esse estágio de crescimento e revelação o nome de "iluminação" porque, finalmente, você está contemplando a fonte de luz e de verdade em si mesma. E quem é essa luz senão o sol da justiça (Ml 4.2) que veio ao mundo, a verdadeira luz que brilha sobre toda a humanidade (Jo 1.9)?

Sócrates, todavia, não para na iluminação. O prisioneiro que foi libertado de suas correntes, tirado da caverna e viu a luz não se satisfaz com um saguão de chegada. A luz também enche aqueles que a viram com compaixão por aqueles que ainda estão presos nas trevas. Eles sentem o chamado para reentrar na caverna com a boa notícia. Para Sócrates, isso representa o filósofo que encontrou a iluminação e se sente agora compelido a reentrar na confusão da política da cidade para lutar por uma sociedade justa. Ele adverte que voltar para as trevas abandonando a segurança de uma ilha pessoal contemplativa pode ser algo desorientador e perigoso. Aqueles que, tendo visto a luz, revisitam a caverna sentem-se novamente desorientados. É difícil enxergar no escuro. Aos olhos dos prisioneiros que lá estão, você parece simplesmente um bêbado cambaleante, indo trôpego rumo ao banheiro. De fato, diz ele, se pudessem eles o atacariam. Brian sabe disso.

Em outras partes de *A República*, nós vemos uma versão desmistificada da história. Lemos uma profecia, muitos séculos antes de Cristo, em que Gláucon (irmão mais velho de Platão) nos adverte de que se o Bem aparecesse neste mundo, ele viria como o homem perfeitamente justo. E como seria recebido? Nós inevitavelmente o prenderíamos, o açoitaríamos e o *crucificaríamos*. Sim, ele emprega essa palavra.

E, nesse sentido, Sócrates se consuma em Cristo, pois Cristo *entrou* neste mundo que estava envolto em trevas, e foi morto numa cruz. Mas o que Sócrates não previu foi que as trevas não conseguiram superar o Homem justo e que, com sua ressurreição, Cristo destruiu a cortina da morte que envolve todos os povos (Is 25.7). Como nós ortodoxos repetidamente cantamos durante a celebração da Páscoa:

> Cristo ressuscitou dos mortos,
> pisoteando a morte com a morte
> e conferindo vida aos que jaziam sepultados.

Digo tudo isso para apresentar você de novo a um sábio socrático portador de luz e apaixonado por Jesus. Que Deus use seu belo evangelho para romper correntes, trazer clareza e guiar-nos para o alto e para fora rumo à luz, onde podemos contemplar com o rosto descoberto a glória de Deus no rosto de Jesus Cristo.

Fiat Lux

Prelúdio

....

No outono de 2019, minha mulher e eu fizemos nossa terceira peregrinação pelo Caminho de Santiago. Percorrer esse Caminho se tornou uma das grandes paixões de minha vida. A vida de peregrino me agrada — pelo menos durante algumas semanas com intervalos de alguns anos. Damos nosso primeiro passo no Caminho na vila francesa de Saint-Jean-Pied-de-Port nos Montes Pirineus, e quarenta dias e oitocentos quilômetros depois chegamos à catedral de Santiago de Compostela, na Espanha.

Mas o velho ditado "é a jornada, não o destino, que mais importa" verdadeiramente se aplica à peregrinação moderna. Se o destino for o objetivo, posso chegar a Santiago partindo de qualquer ponto do mundo em questão de horas. Não é esse, porém, o objetivo. O objetivo é a extensa caminhada em si e a vida simplificada de ser um peregrino — é um descanso "longe da multidão enlouquecida" da modernidade. Durante quarenta dias e quarenta noites, nossa vida se reduz à abençoada singularidade de caminhar de uma cidade para outra, de uma igreja para outra, de um alojamento para outro, cada dia chegando um pouco mais perto de Santiago. Não corremos para cá ou para lá, avançando e retrocedendo freneticamente. Não corremos mundo afora em meios de transporte mecanizados. Simplesmente caminhamos com perseverança rumo ao oeste, nunca mais depressa do que o caminhar passo a passo. O ritmo lento é o objetivo. Isso porque quando diminuímos suficientemente o ritmo durante um período prolongado, passamos a viver num estado mais contemplativo. O verdadeiro destino de minha peregrinação não é Santiago, mas sim o silêncio da alma que leva à contemplação.

    Percorrer o Caminho de Santiago é uma experiência profundamente espiritual. Cada peregrino, por mais secular que seja sua filosofia, sente isso, e isso é tópico frequente de conversação. "O Caminho proverá" é uma expressão comum entre os peregrinos. Significa que, qualquer coisa de que você possa precisar, ela aparecerá enquanto você faz o Caminho. Descobri que isso é verdadeiro em muitos níveis. A espiritualidade do caminho é uma preciosa anomalia em nossa época desiludida. O Caminho é também religioso — e com isso quero dizer que você passará por inúmeras igrejas, capelas e cruzes. Praticamente cada peregrino vai assistir a pelo menos uma missa para receber a bênção da peregrinação. Você vai quase certamente alojar-se várias noites em algum monastério. É impossível não sentir a devoção religiosa de milhões de peregrinos medievais que percorreram a estrada para Santiago em seu mundo pré-moderno.

    Considera-se um fato indiscutível que a Europa é completamente secular, ao passo que os Estados Unidos se agarram ao cristianismo. Mas essa não tem sido minha experiência. Quando estou na Europa, sinto lá no fundo, embora muitas vezes enterradas e esquecidas, raízes cristãs; ao passo que, na América, deparo com uma leve camada de verniz de religião civil escondendo um cerne profundamente secular. Ao contrário do que muitos possam pensar, o solo do cristianismo americanizado não é assim tão adequado para a nutrição e o sustento da fé cristã. Isso era o que eu estava ponderando enquanto fazia o Caminho no outono de 2019. Perfeitamente consciente da veemente provação desafiadora da fé que nos dias atuais se abateu sobre os cristãos ocidentais, comecei a formular algumas ideias sobre o que eu gostaria de dizer àqueles cuja fé está sendo severamente posta à prova. Depois de duas semanas e trezentos e poucos quilômetros no Caminho, sentei-me por várias horas num terraço em Castrojeriz — uma linda aldeia no topo de uma colina que vem acolhendo peregrinos há mais de setecentos anos — e esbocei os onze capítulos deste livro, atribuindo-lhe o título *Quando tudo está em chamas*. Iniciei o processo da redação em janeiro. No começo de 2020, parecia que tudo estava em chamas, e depois — *tudo estava em chamas!* Uma pandemia global. Uma crise econômica. Um dia de ajuste de contas para a sistêmica injustiça racial americana. Protestos em todo o país. Mais tiros desferidos pela polícia contra negros desarmados. Mais agitação. Mais escândalos na igreja. Mais politização da fé cristã. Mais vingança e violência na política. Mais divisão inflamada. Mais gente perdendo a fé. De fato, tudo está em chamas!

Mas nem tudo está perdido — longe disso. Mesmo quando tudo parece estar em chamas, a fé ainda é possível. Ela não está fadada a perecer nas cinzas da desconstrução teológica. Os desafios típicos de nossa época secular não são necessariamente um beco sem saída para a fé. Há como seguir em frente. O apóstolo Pedro fala de uma fé que foi purificada pelo fogo (1Pe 1.7). É possível forjar uma fé vibrante e válida a partir das cinzas de um teste pelo fogo. É isso que pretendo discutir. Espero que você e eu possamos caminhar juntos durante alguns dias pelo Caminho de Santiago e ter muitas longas conversas sobre a possibilidade da fé cristã numa época de descrença. E, quem sabe, talvez isso venha a acontecer algum dia. Por enquanto, porém, temos de nos contentar com este livro. Enquanto você lê, tente pensar em mim como um colega peregrino na jornada da vida que, por um breve tempo, procura ser seu companheiro de caminhada e parceiro de conversa.

Ei, você aí! Vamos lá, venha viajar comigo.
Viajando comigo você descobre o que jamais cansa.
A terra jamais cansa,
A terra é rude, calada, incompreensível no início,
A natureza é rude e incompreensível no início,
Mas não desanime, vá em frente,
há coisas divinas bem escondidas,
E juro que há coisas divinas mais
bonitas do que as palavras podem revelar.

WALT WHITMAN, "CANÇÃO DA ESTRADA ABERTA"

PARTE I

Quando tudo está em chamas

1
O louco da lanterna

Houve outrora um tempo em que todos nós acreditávamos em Deus. Numa época anterior, acreditávamos em Deus (ou em deuses) com a mesma facilidade com que acreditávamos no chão firme sob nossos pés e na expansão do céu sobre nossa cabeça. Um antigo poeta grego expressou isso desta maneira num hino a Zeus (depois utilizado pelo apóstolo Paulo): "Pois nele vivemos, nos movemos e existimos" (At 17.28). Para os antigos, o divino era imanente como o ar que respiravam. Mas isso foi antes que tudo estivesse em chamas. Foi antes da conflagração de guerras mundiais, antes que os céus sobre Auschwitz fossem escurecidos por cinzas humanas, antes dos ominosos cogumelos de nuvens sobre Hiroshima e Nagasaki, antes que o mundo testemunhasse pilares gêmeos de fumaça subindo no céu de setembro sobre Manhattan, antes que veneradas instituições tradicionais fossem engolidas nas chamas do escândalo, antes do arrasador ataque ao cristianismo levado a cabo por seus eruditos escarnecedores. Hoje em dia, é mais difícil crer, mais difícil manter a fé e quase impossível abraçar uma religião de um modo sinceramente inocente. Vivemos num tempo em que tudo está em chamas, e a crença de milhões corre perigo.

Então, a fé cristã ainda é viável numa época de descrença?

Sim, ela é possível. Posso dar testemunho disso. Minha própria fé passou pelas chamas da modernidade e está viva e passa bem. Enfrentei os mais poderosos desafios contra a fé cristã e sobrevivi para contar a história sendo um cristão que crê. Uma fé sadia, vigorosa é possível no século 21, mas precisamos reconhecer que estamos passando por um período de crescente ceticismo, cinismo e secularismo. Nossa época não é amiga da fé, e os desafios que enfrentamos são reais. Ouço os melancólicos sussurros de Galadriel no início de *O senhor dos anéis*: "O mundo está mudado: sinto isso na água, sinto isso na terra, farejo isso no ar. Muito do que já existiu se perdeu, pois agora ninguém mais que se lembre disso está vivo".[1]

"Muito do que já existiu se perdeu" — muitos de nós repercutem esse sentimento. A perda foi súbita e precipitosa. O mundo ocidental entrou no século 20 ainda preso a um mundo bem mais antigo — um mundo em que as pessoas sentiam a imanência de Deus. No entanto, em algum ponto ao longo do caminho através desse tumultuado século, o cordão se rompeu, e nós entramos num mundo novo — um mundo onde Deus parece ter-se perdido. O etos de nossa época poderia ser descrito como a sentida ausência de Deus. Algo se perdeu e, no mundo ocidental, o cristianismo está em declínio. A maioria das denominações vem perdendo adeptos, e a categoria religiosa que mais cresce nos Estados Unidos é "nenhuma". Para crentes que, em sua ansiedade e frustração, temerariamente concebem esse fenômeno em termos de guerra cultural, isso tem causado grande consternação. Mas sua fúria induzida pela guerra cultural só acrescenta combustível ao fogo de atitudes pós-cristãs. Indignar-se com pessoas modernas por perderem sua fé equivale a indignar-se com pessoas medievais por morrerem de peste. Alguma coisa aconteceu no nosso tempo. Assim como algo aconteceu na Idade Média que pôs em risco a vida de pessoas medievais, algo aconteceu na recente modernidade que pôs em risco a crença de pessoas modernas. Algo mutilou a crença compartilhada no mundo ocidental durante o século passado. E ninguém previu isso mais claramente do que Friedrich Nietzsche, o famoso filósofo alemão e veemente crítico do cristianismo.

Em 1882 — sete anos antes de sua crise de loucura — Friedrich Nietzsche publicou uma parábola intitulada *O homem louco*. Na parábola, um louco chega a uma aldeia numa clara manhã ensolarada segurando erguida uma lanterna e gritando: "Estou procurando Deus! Estou procurando Deus!". Esse absurdo provoca risadas e zombarias entre as pessoas da aldeia. O louco então salta entre elas com uma expressão desvairada no olhar:

"Onde está Deus?", gritava ele. "Eu vou lhes dizer. *Nós o matamos — vocês e eu.* Todos nós somos assassinos. Mas como fizemos isso? Como pudemos beber toda a água do mar? Quem nos deu a esponja para apagar o horizonte? O que estávamos fazendo quando desacorrentamos a terra de seu sol? Para onde ela está se movendo agora? Para onde estamos indo nós? Para longe de todos os sóis? Não estamos afundando continuamente? Para trás, para o lado, para a frente, em todas as direções? Ainda existe algum 'em cima' e algum 'embaixo'? Não estamos nos desgarrando, como que através de um infinito nada? Não sentimos o sopro do espaço vazio? Não ficou mais frio? A noite não está continuamente se fechando sobre nós? Não precisamos acender lanternas de manhã? Não ouvimos nada ainda do som dos coveiros que estão sepultando Deus? Não sentimos ainda o cheiro da decomposição divina? Deuses também se decompõem. Deus está morto. Deus permanece morto. E nós o matamos."[2]

Depois de sua invectiva, o louco despedaça sua lanterna no chão diante dos atônitos ouvintes e diz: "Eu vim cedo demais, ainda não chegou meu tempo. Esse tremendo acontecimento ainda está a caminho".[3] A parábola termina com o louco entrando em igrejas e cantando um réquiem para Deus. Temos aqui uma notavelmente poderosa e clarividente peça de ficção que prevê o declínio da fé cristã no século 20. O homem louco de Nietzsche destruindo a lanterna poderia ser visto como algo parecido com a vaca da Sra. O'Leary escoiceando a lanterna na estrebaria. A vaca de O'Leary incendiou Chicago, e o homem louco de Nietzsche incendiou o mundo ocidental. Não estou querendo dizer que Nietzsche *causou* o que está acontecendo com a fé cristã na Europa ocidental e na América do Norte, mas ele previu isso com tal clareza que é como se houvesse presenciado a primeira centelha do que depois se tornou um furioso inferno. Em 1882, Nietzsche proclamou que "Deus está morto", embora naquela época a vasta maioria das pessoas da Europa se declarasse cristã e frequentasse alguma igreja. Mas lá pelo ano de 1966, as coisas haviam mudado. Naquele ano, a revista *Time* publicou esta controversa pergunta naquela que é provavelmente sua capa mais famosa: *Deus está morto?* O que parecia ser o delírio de um louco em 1882 tornou-se uma pergunta legítima na década de 1960. Na parábola de Nietzsche, quando o louco viu que o povo da aldeia não estava preparado para ouvir sua profecia, ele simplesmente disse: "Eu vim cedo demais, ainda não chegou meu tempo". Mas o tempo dele agora chegou. Deus está morto? Essa é uma pergunta ainda mais relevante hoje em dia do que quando ela apareceu pela primeira vez na capa da revista *Time*.

Almoço com Nietzsche

Alimento uma fantasia de almoçar com Nietzsche em algum aconchegante café da Basileia, na Suíça. Se minha fantasia se concretizasse, eu teria de gastar os primeiros quinze minutos pondo-o a par do que aconteceu durante o século passado ou mais ou menos isso — do surgimento da guerra mecanizada na Primeira Guerra Mundial até o surgimento das armas da desinformação e o contínuo crescimento do ateísmo durante todo esse processo. Não creio que Nietzsche se surpreenderia. Ele previu a chegada de tudo isso. Li grande parte da obra de Nietzsche e devo admitir que tenho uma afeição por esse filósofo atribulado e provocador. Dono de uma inteligência altaneira, foi um tremendo escritor, um polemista feroz e o mais formidável crítico do cristianismo da era moderna. E se alguém se sentir ofendido por sua disposição hostil para com o cristianismo, é preciso lembrar que seus cáusticos ataques eram sobretudo dirigidos a uma cristandade moribunda na qualidade de um artefato cultural mais do que contra uma fé centrada na vida e nos ensinamentos de Jesus. De fato, Nietzsche às vezes parece nutrir uma relutante admiração por Jesus de Nazaré.

Sem hesitar, admito que concordo com boa parte do que Nietzsche escreve. Sua crítica ao cristianismo europeu do século 19 é muitas vezes tão precisa quanto mordaz. Mesmo se, no fim, Nietzsche tragicamente se equivoca sobre coisas importantes, ainda respeito sua análise do problema. Então o que Nietzsche quer dizer com seu provavelmente mais famoso aforisma: "Deus está morto"? Em *A gaia ciência*, o livro que contém a parábola do homem louco, Nietzsche diz: "O maior evento recente — que 'Deus está morto', que a crença no deus cristão se tornou inacreditável — já está começando a projetar suas primeiras sombras sobre a Europa".[4]

Embora ela esteja agora associada a ele, Nietzsche não cunhou a frase "Deus está morto". Como filho de pastor luterano, ele teria ouvido esse verso num hino luterano do Sábado Santo. E ainda que Nietzsche tenha se tornado um ateu, em seu aforisma "Deus está morto" ele não afirma simplesmente que Deus não existe. Pelo contrário, ele está querendo dizer que prevê como a crença em Deus logo deixará de ser o princípio organizador da civilização europeia. Nietzsche percebeu que a burguesia religiosa já vivia como se Deus não existisse, mesmo que sua filosofia religiosa ainda não se emparelhasse com a vida prática. Filhos de pastores como Nietzsche têm muitas vezes uma profunda consciência da hipocrisia dos paroquianos. Nietzsche entendeu que as pessoas não raro vivem como verdadeiros ateus antes de se declararem publicamente ateus convictos. Na década de 1880, a civilização ocidental na prática já se tornara ateia, apesar de a maioria das pessoas ainda não se dar conta disso. Com a presciência de um profeta — ainda que um profeta louco — Nietzsche antecipa o surgimento de uma era secular em que a fé é cada vez mais empurrada para a periferia. E ele estava inteiramente certo em sua profecia.

Todavia, diferentemente dos presunçosos novos ateus, Nietzsche não exultou com a morte do cristianismo. Pelo contrário, temia que ela não deixasse nada além do vazio do niilismo descrito por ele como "um infinito nada". Ele se referia à perda da fé cristã como o apagamento do horizonte, significando que a cultura ocidental sofreria uma crise de vertigem moral, tornando-se incapaz de definir o que constitui o Bem. Nietzsche sabia que se a cultura se torna ateísta sem suprir um novo centro organizador para substituir o que outrora era ocupado por Deus, essa cultura está fadada a ser levada para o frio e vazio niilismo. Ele descreve isso como a terra sendo desatrelada do sol. Diferentemente dos zelosos novos ateus, Nietzsche não exclamou: "Hurra! Nós nos livramos de Deus! Agora tudo vai melhorar!". Nietzsche era muito mais sóbrio e temia que a vida num mundo que havia abandonado Deus se tornasse mesquinha e sem sentido.

Apesar de tudo, Nietzsche estava preparado para que o mundo desse o ousado passo e fosse em frente sem Deus. Nietzsche foi uma espécie de João Batista preparando o caminho para uma nova era secular. Ele *esperava* que essa nova era testemunhasse o surgimento do *Übermensch*, o super-homem; *esperava* que mediante aquilo que ele chamava de vontade de potência homens heroicos (sim, seriam homens) conduzissem a humanidade rumo a uma nova aurora de grandeza — um tema que os nazistas explorariam visando fins horrendos.[5] Nietzsche *esperava* que homens galantes como deuses surgissem para ocupar o lugar previamente ocupado pelo Deus judaico-cristão. Mas ele também *temia* que, em vez do super-homem, o futuro pertenceria ao que denominou "o último homem". Em *Assim falou Zaratustra*, ele escreve:

Vejam! Vou lhes mostrar *o último homem*.
"O que é o amor? O que é a criação? O que é o desejo? O que é uma estrela" — assim pergunta o último homem e pestaneja.
A terra se tornou pequena, e sobre ela dança o último homem que torna tudo pequeno. Sua espécie é inextirpável como a da pulga; o último homem é o mais longevo.
"Nós inventamos a felicidade" — diz o último homem, e pestaneja.[6]

Para Nietzsche, o último homem (sua metáfora para o desenvolvimento final de uma humanidade falida) é um indiferente utilitarista que só consegue enxergar valor em termos de comércio. A maior ambição do último homem é uma espécie de felicidade sedada, e Nietzsche pensava que fazer da felicidade nosso principal objetivo era um objetivo indigno para a vida humana. O *Übermensch* quer da vida muito mais do que a mera felicidade. Para o *Übermensch*, a luta em si traz mais significado para a vida do que o contentamento pessoal. De Nietzsche recebemos o famoso dito: "O que não me mata me torna mais forte".[7] Nietzsche, que também era um alpinista, teria apreciado a famosa resposta de George Mallory à pergunta de por que ele estava escalando o monte Everest: "Porque ele está lá".

Mas o último homem nunca consegue entender o valor de uma luta nobre. Para o último homem, escalar uma montanha ou explorar o oceano ou criar uma obra de arte ou conseguir uma boa formação só pode valer o esforço se visar um fim utilitário. O último homem não tem interesse algum pela aventura, exploração, arte ou educação *em si mesmas*. O último homem só escalará uma montanha se tiver o apoio de um patrocinador; só explorará o oceano se ali puder fazer uma prospecção de petróleo; só criará uma obra de arte se puder vendê-la; só buscará educar-se se isso lhe proporcionar um emprego que pague muito bem. O último homem apenas quer uma vida confortável e alguma felicidade prosaica. Imagine o último homem de Nietzsche sentado numa poltrona reclinável, controle remoto na mão, surfando setecentos canais, murmurando: "Nós inventamos a felicidade", e depois pestanejando estupidamente. Se o *Übermensch* de Nietzsche era uma espécie de heroico deus grego, seu último homem é basicamente uma batata indiferente plantada no sofá. O maior medo de Nietzsche era que quem sucedesse à morte de Deus não fossem os deuses gregos, mas sim o confuso último homem viciado em diversões.

Nietzsche era um pensador zeloso e seus argumentos devem ser levados a sério, e eu tentei fazer isso. Foi por isso que li tanto de sua obra. Ele era brilhante e perspicaz, mas, no fim, ele estava errado. Acredito que a história mostra isso. Suponho que, se eu tivesse aquele almoço imaginário com Nietzsche, teria de lhe dar a má notícia de que seu sonhado *Übermensch* acabou tornando-se um monstro e que seu temido último homem parece ser o fim inevitável de sua trajetória filosófica. Seria provavelmente um almoço embaraçoso. Talvez eu não queira ter aquele almoço com Nietzsche, afinal — seria triste demais.

Como já disse, eu tenho uma simpatia por ele. Não gostaria de dizer a Nietzsche que sua filosofia não conduz a uma época heroica, mas apenas ao beco sem saída do niilismo — exatamente aquilo que ele temia. Acho fácil perdoar os ferozes ataques de Nietzsche contra a religião porque sua crítica ao cristianismo cultural que ele viu na Europa do final do século 19 era essencialmente a mesma crítica feita pelo filósofo dinamarquês e pensador cristão Søren Kierkegaard. A diferença entre esses dois filósofos existencialistas é que, enquanto Kierkegaard acreditava que dentro da casca seca do cristianismo estava a semente viva da Palavra de Deus, Nietzsche acreditava que o cristianismo não era mais que uma casca vazia. Falando de um modo muito simples, em sua crítica ao cristianismo Kierkegaard ainda acreditava em Cristo, ao passo que Nietzsche não acreditava. No fim, Kierkegaard tomou o melhor caminho.

Os mestres da suspeição

Nietzsche pertence a uma trindade de pensadores do século 19 que Paul Ricouer denominou "mestres da suspeição". Esses mestres da suspeição — Friedrich Nietzsche, Karl Marx e Sigmund Freud — suspeitavam todos da mesma coisa: da possibilidade do amor altruísta como um motivo primário. Para Nietzsche, Marx e Freud, a alegação de que no âmago da fé cristã encontra-se o amor puro é recebida com resoluto ceticismo — eles simplesmente não acreditam que as pessoas possam ser verdadeiramente motivadas pelo amor a Deus e o amor ao próximo. Marx diz que nossos motivos têm a ver sobretudo com dinheiro; Freud diz que nossos motivos têm a ver sobretudo com sexo; Nietzsche diz que nossos motivos têm a ver sobretudo com poder. No caso específico de Nietzsche, ele insistia que o amor cristão não era mais do que aquilo que ele chamava de "moralidade de escravo" — um jeito para os fracos manipularem os fortes, um jeito para o escravo disfarçar seu *ressentimento* para com seu dono.

Segundo Nietzsche, a moralidade de escravo do amor cristão impede que a humanidade atinja seu potencial de grandeza. Nietzsche pensava que o ideal do amor cristão manteve a humanidade fraca, ignóbil e doente. Ele estava convencido de que era chegado o tempo de a humanidade descartar o pretenso amor altruísta e, mediante a vontade de potência, transformar-se em super-homens que marcham para uma nova era heroica não mais amarrada à bola de ferro e à corrente da moralidade de escravo. Foi assim com certeza que os nazistas leram Nietzsche reverenciando *Além do bem e do mal*, *O crepúsculo dos ídolos*, *O anticristo* e outras obras nietzschianas como seus textos canônicos. Os nazistas estavam conscientemente tentando pôr em prática a filosofia de Nietzsche; estavam deliberadamente tentando ser os super--homens que Nietzsche imaginou. Nietzsche certamente não foi um antissemita genocida, mas ideias poderosas podem ter consequências — e Nietzsche sabia disso. Em *Ecce Homo*, ele escreve:

> Conheço o meu destino. Um dia se associará ao meu nome a lembrança de algo assustador — uma crise como nunca houve antes igual sobre a terra, da profunda colisão da consciência, uma decisão evocada contra tudo em que até então se havia acreditado, exigido, santificado. Eu não sou um homem, sou dinamite.[8]

É uma lástima que estas palavras resultaram ser mais horripilantemente verdadeiras do que Nietzsche poderia ter imaginado em 1889. É óbvio que Nietzsche não previu nem planejou o Holocausto, mas quando se brinca com fogo, às vezes ele sai do controle e queima absolutamente tudo. E para evitar que você julgue que estou sendo injusto com Nietzsche associando-o com o nazismo, permita-me citar o filósofo francês fundador da teoria da desconstrução, Jacques Derrida: "O futuro do texto de Nietzsche não está concluído. Mas se dentro dos contornos ainda abertos de uma época, a única política que se chama — se proclama — nietzschiana terá sido uma política nazista, então isso é necessariamente significativo e precisa ser questionado em todas as suas consequências".[9]

Nietzsche estava certo em sua previsão de que a civilização ocidental estava entrando numa época em que Deus já não seria considerado o centro da sociedade, mas estava horrivelmente errado ao pensar que o caminho para seguir em frente dependia do *Übermensch*. Apesar de todo o seu brilhantismo, Nietzsche foi tragicamente ingênuo ao pensar que seu imaginado super-homem com sua sombria fascinação pela configuração do mundo mediante a vontade de potência levaria a algum outro destino que não fossem os campos de extermínio e um continente em ruínas. Nietzsche estava certo em seu diagnóstico do problema, mas criminalmente errado em sua solução.

Uma crítica cristã da cristandade

Quais serão para nós as consequências disso tudo? A lanterna foi destruída, a descarada asserção de que Deus está morto ecoa em nossos ouvidos, e tudo parece estar em chamas. Que devemos fazer? É inevitável que sigamos o caminho previsto por Nietzsche que conduz ao fim da fé cristã, ou existe uma maneira de levarmos a sério o que Nietzsche proclama e ainda manter a fé? Nietzsche viu algo real assomando no horizonte do século 20, mas será que o homem louco está certo quando indaga: "O que são afinal estas igrejas agora se não são os túmulos e sepulcros de Deus?"[10] Isso é verdade, ou será que a igreja ainda tem um futuro como testemunho vivo de um Cristo ressuscitado?

Em anos recentes, vimos crentes, pastores e líderes cristãos muito famosos abandonando publicamente sua fé. Esse fenômeno está acontecendo com regularidade crescente. Acaso significa que nós, que ainda cremos, simplesmente passamos pelo cemitério assobiando e teimosamente adiando nossa inevitável perda da fé? Esta é a grande pergunta: *É possível agarrar-se à fé cristã numa época de descrença?* A resposta é *sim!*

Certamente, Nietzsches contemporâneos estão anunciando a impossibilidade da fé cristã, mas há também guias confiáveis que dizem com Fiódor Dostoiévski: "Eu acredito em Cristo e o confesso não como uma criança qualquer; meu hosana atravessou uma enorme fornalha de dúvida".[11]

É útil ter em mente que aquilo que Nietzsche criticou acerca do cristianismo, Kierkegaard também igualmente criticou — e ele era capaz de ser em cada detalhe tão polêmico como Nietzsche. Em 1855, Kierkegaard publicou *Ataque à "cristandade"*. Kierkegaard acreditava que o luteranismo nominal da Dinamarca promovido pelo estado se aproximava muito do exato oposto do cristianismo rigoroso apresentado no Novo Testamento, e o atacou frontalmente. Aqui está um exemplo do tipo de polêmica encontrado no *Ataque* de Kierkegaard:

> Eu poderia ser tentado a fazer ao cristianismo uma proposta diferente daquela da Sociedade Bíblica. Vamos juntar todos os Novos Testamentos que temos, vamos juntá-los numa praça aberta ou no topo de uma montanha, e, enquanto todos nos ajoelhamos, vamos permitir que um homem fale com Deus assim: "Recebe de volta este livro de novo; nós seres humanos, tais como somos agora, não estamos preparados para praticar esse tipo de coisa, que só nos torna infelizes". Esta é a minha proposta: que como os habitantes de Gerasa nós imploremos a Cristo que deixe o nosso território. Essa seria uma maneira humana de falar — bastante diferente da desagradável e hipócrita patacoada sacerdotal sobre a vida não ter nenhum valor para nós sem a inestimável bênção que é o cristianismo.[12]

Kierkegaard continua nessa toada de sátira mordaz ao longo de trezentas virulentas páginas. Talvez ele tenha até superado Nietzsche em seu destruidor ataque contra o lânguido e autocomplacente cristianismo apoiado pelo estado de sua época. Embora Kierkegaard nunca tenha lido Nietzsche (Kierkegaard morreu antes de Nietzsche iniciar sua carreira), ele está atacando o último homem de Nietzsche que finge ser cristão. Kierkegaard poderia ter escrito: "O último homem diz: 'Estou salvo', e pestaneja". Esses dois poderosos pensadores desprezaram a sedução fácil do preguiçoso pensar em grupo — Kierkegaard chamava isso de "a multidão" e Nietzsche o chamava de "o rebanho", mas ambos se referiam à mesma coisa. O último homem de Nietzsche segue o rebanho, e a cristandade de Kierkegaard segue a multidão. Ambos os filósofos recomendam com insistência que seus leitores se responsabilizem pela vida que levam e ajam com convicção e coragem. Apesar de todas as semelhanças entre eles — e eles são notavelmente parecidos! — no fim chegaram a conclusões muito diferentes. Kierkegaard manteve uma profunda e permanente fé em Jesus Cristo. É justo dizer que sua fé cristã informou *toda* sua obra filosófica. Kierkegaard conseguiu fazer uma distinção vital entre uma cristandade falida e um Cristo triunfante.

Uma das grandes tragédias na história da filosofia é que Nietzsche nunca leu Kierkegaard. (Kierkegaard era praticamente desconhecido fora de Copenhague antes do colapso mental de Nietzsche em 1890.) Suponho que minha real fantasia seja que Nietzsche pudesse almoçar com Kierkegaard. Acho que eles se teriam entendido perfeitamente, e é provável que desfrutassem da companhia um do outro. Posso imaginar Kierkegaard prestando atenção a Nietzsche, balançando a cabeça e dizendo: "Sim, sim, sim! Mas você já pensou *nisto*?". Que fascinante conversa seria essa! Nietzsche conversando com Kierkegaard; o ceticismo conversando com a fé;

Eu-perdi-minha-fé conversando com Eu-ainda-creio. É isso que espero que este livro possa ser. Espero que ele possa ser meu "Sim, sim, sim! Mas você já pensou nisto?" com quem sente que sua fé está por um fio. Esta é minha longa conversa num almoço com quem ainda nutre uma esperança por uma fé autêntica, mas se pergunta: "Que podemos fazer quando tudo está em chamas?".

2
Desconstruindo a desconstrução

Nos últimos anos, nos círculos cristãos muito se falou de *desconstrução*. O termo é empregado para descrever uma crise de fé cristã que leva ou a uma reavaliação do cristianismo ou às vezes a um total abandono dele. Não faz muito tempo, jantei com um jovem e recém-ex-pastor que me disse que havia começado a ouvir um popular *podcast* pós-cristão e, depois de seis meses, havia-se tornado ateu. Descreveu-me essa súbita perda da fé como a sua "desconstrução". No caso dele, a desconstrução foi mais uma demolição da qual nada sobreviveu. Considero essa história de uma fé que naufragou chocando-se contra as rochas de um *podcast* precipitada e ao mesmo tempo triste. Naturalmente, ouvi histórias similares antes — elas se tornaram o assunto mais em voga hoje em certos círculos. As histórias de líderes cristãos anunciando seu agnosticismo estão virando um embaraçoso lugar comum.

Mas a história sempre é mais do que "jovem pastor depara com *podcast* que o induz ao ceticismo". Drásticas desconstruções como essa são muitas vezes uma reação a algum tipo de fundamentalismo. Uma fé formada num rígido, defensivo fundamentalismo se assenta numa base mais precária do que supõem seus adeptos. De fato, numa época secular, a fé fundada numa certeza fundamentalista é cada vez mais insustentável. Por exemplo, quando um cristão formado no fundamentalismo lê Gênesis como um relato empírico da idade do universo e da origem das espécies, em vez de uma inspirada revelação poética mostrando que a totalidade da criação procede da absoluta gratuidade de um Deus benevolente e que a criação em si é inerentemente boa, basta que ele veja um documentário na tevê a cabo para que seja levado a sofrer uma desconstrução tão severa que nada sobra de sua fé.

Uma leitura empírica da literatura mítica vai numa direção totalmente errada. A profunda sabedoria comunicada por meio de um mito sagrado não é nada afetada por questões de historicidade. Como observa o teólogo Randy Woodley do Bando Unido Keetoowah de Índios Cherokee: "O mito não pretende verificar se algo é fato ou ficção; o mito tem mais a ver com a verdade. Um bom mito, segundo o adágio, refere-se a algo que continua sendo sempre verdadeiro".[1] Mas o fundamentalismo que se curva ante o altar do empirismo não compreende nada disso. Quando o paradigma dominante é o fundamentalismo, é muito fácil desviar-se do fundamentalismo cristão para o fundamentalismo ateu. Às vezes o literalismo bíblico e o ateísmo inflamado são apenas dois lados da mesma moeda fundamentalista.

Alguns anos atrás, o pastor de uma igreja evangélica fundamentalista bastante próxima de mim anunciou no domingo depois da Páscoa que havia se tornado um ateu.[2] (Ironicamente, no Lecionário Comum Revisado, a leitura do evangelho para aquele domingo é a história de Tomé com sua dúvida e seu protesto empírico: "Não acreditarei se não vir..." [Jo 20.25].) O pastor disse à congregação que ele se sentia ateu havia mais de um ano e que todas as tentativas de reacender sua fé haviam fracassado. Assim, no domingo depois da Páscoa, ele publicamente abandonou o cristianismo e seguiu sua vida — uma vida sem mais outras páscoas.

Poucos dias depois de sua bombástica renúncia, encontrei-me com esse ex-pastor. Enquanto ouvia sua história, tornou-se evidente que, mais do que sua fé no cristianismo histórico, ele havia perdido sua credulidade no fundamentalismo moderno. Lamentavelmente, ele se formara numa tradição na qual o cristianismo e o fundamentalismo eram tão fortemente ligados um ao outro que ele não conseguia fazer uma distinção entre os dois. Quando ele se desfez do fundamentalismo, a fé cristã foi junto. Para esse pastor fundamentalista, se a Bíblia não era literal, histórica e cientificamente factual num sentido empírico-bíblico, então o cristianismo era uma falsidade que ele precisava rejeitar. Quando seu castelo de cartas fundamentalista veio abaixo, levou junto sua fé cristã. Num notável salto de fé, um fundamentalista tornou-se um ateu novo em folha. Fiz o que pude para lhe explicar que ele havia cometido o erro moderno de confundir a fé cristã histórica com o fundamentalismo do início do século 20. Mas, naquela altura, o mal já estava feito e parece que sua fé sofreu um golpe fatal.

Essa história que relatei brevemente é verdadeira, mas é também uma parábola pós-moderna. Interpretando mal o Iluminismo e o correspondente empirismo, muitos cristãos assustados isolaram-se em espaços de certeza. Mas esse tipo de escuridão gera monstros. A maioria das dúvidas — como todos os monstros — não assusta tanto à luz do dia. A maioria dos cristãos pode lidar com inevitáveis dúvidas, desde que haja espaço para a dúvida. No entanto, quando se impõe um sistema que não deixa espaço para a dúvida, incertezas benignas podem transmutar-se em monstros destruidores da fé. Quando as dúvidas são trancadas num armário de segredos, elas podem crescer e virar ogros assustadores.

Como pastor, vi isso acontecer. Quando as opções são seis dias literais de criação e um universo de seis mil anos de idade ou o fracasso — às vezes a fé acaba em fracasso. Já vi pais e mães cristãos que, por medo, matricularam seus filhos em escolas cristãs fundamentalistas com o único propósito de blindar o pequeno Timmy contra as "mentiras da ciência secular", e acabaram vendo Timmy se tornar ateu antes do fim do ensino médio. Quando você força Timmy a escolher entre a credulidade fundamentalista e a ciência revisada por especialistas acadêmicos, é possível que Timmy nem sempre se deixe persuadir pela resposta pseudo-apologética fundamentalista de homens como Ken Ham.[3] Testemunhei isso pessoalmente. Vi muitos cristãos perderem batalhas que nunca precisariam ter travado. Como Dom Quixote, eles enxergam inofensivos moinhos de vento como gigantes ameaçadores e travam uma batalha desnecessária só para ver o moinho-imaginado-como-gigante prevalecer. As guerras culturais criaram esses tipos de cruzadas quixotescas — e às vezes o resultado trágico são pastores anunciando seu ateísmo num domingo depois da Páscoa.

Nos dias de hoje tenho apenas um simples objetivo de vida: ajudar a tornar o cristianismo possível para meus netos e a geração deles. Quero que meus oito netos possam celebrar a Páscoa por toda a vida. E se meus netos puderem abraçar a Páscoa com algum tipo de fé autêntica em sua vida adulta, não posso dar-me ao luxo de ignorar suas inevitáveis dúvidas ou tentar forçá-los a alimentar certezas inquestionáveis. Em nossa época secular, essa é uma fórmula para o ateísmo. Em vez disso, faço o que posso para criar meus netos no solo fértil da fé cristã histórica, que em suas formas mais sadias sempre se sentiu confortável com mistérios, nuances, metáforas e alegorias, perguntas ingênuas e dúvidas honestas. Isso porque, no final das contas, o cristianismo sofreu mais baixas devido a uma fé artificial do que devido a dúvidas honestas. Ao buscar transmitir a fé cristã aos meus netos, estou mais interessado em apresentar-lhes um belo mistério do que uma coleção de certezas encouraçadas. Se Jesus é apresentado sendo belo e misterioso como o vemos nos evangelhos, eu estou disposto a confiar que essa beleza conquistará corações. Já se disse que ninguém jamais se tornou cristão por ter levado a pior numa discussão. Suspeito que isso seja verdadeiro. Também suspeito que muito mais pessoas do que imaginamos se converteram ao cristianismo pela simples razão de que ficaram encantadas com a beleza de Cristo. Eu prefiro fundamentar a fé cristã na beleza de Cristo e não no literalismo bíblico. O literalismo bíblico pode ser desbancado por um calouro universitário, mas a beleza de Cristo consegue resistir ao mais formidável ataque que Nietzsche pode engendrar. Se estou concentrando minhas apostas na sobrevivência da fé cristã enquanto disputamos uma corrida com barreiras numa época secular, é porque o Rei dos corações é ainda muito belo. Estou disposto a apostar a fé dos meus netos na beleza de Cristo. Quando adotamos o ridículo dualismo de Cristo contra a ciência travando uma batalha mortal, estamos assumindo um risco tolo e completamente desnecessário. Logo desde o início, os cristãos entenderam que fé e razão não são rivais; são maneiras compatíveis de lidar com o mistério de ser. Mil anos atrás, Anselmo de Cantuária nos deixou a frase "fé em busca de entendimento", e essa frase ainda é moeda corrente. Avanços na cosmologia e física quântica só fizeram crescer nosso senso de mistério, de modo a convidar a fé a entrar na conversa.

Demolição ou restauração?

Não estou querendo dizer que não haja desafios reais para a sustentação de uma fé cristã vibrante no transcurso de toda uma vida. Reconheço plenamente a necessidade de repensar e ajustar a rota de nossa jornada de fé. Tive minha própria experiência com isso. Na meia-idade, descobri que o cristianismo que eu conhecia era demasiado fraco e ralo, demasiado comprometido com o consumismo e demasiado favorável ao americanismo. Para sustentar uma fé cristã vibrante, eu precisava encontrar um cristianismo digno do Cristo cujo nome ostenta. A boa notícia era que esse cristianismo existe. Sempre existiu — embora raramente ele seja a expressão dominante do cristianismo. Às vezes temos de empreender uma jornada teológica para encontrar uma fé capaz de durar a vida inteira.

Depois de completar quarenta anos, fiz a descoberta salvadora de minha fé: Jesus pode transformar um cristianismo fraco e aguado num cristianismo rico, robusto e inebriante. Descrevo minha experiência como minha transformação de água em vinho. Eu sei o que significa abandonar uma teologia anti-intelectual, uma escatologia fadada à condenação, uma soteriologia com uma passagem garantida para o céu, uma eclesiologia por demais individualizada e descobrir que algo muito, *muito* melhor estava ali o tempo todo. Desde meu encontro inicial com Cristo na adolescência, eu instintivamente sabia que Jesus era a beleza que salva o mundo. O que enfrentei na meia-idade não foi uma deficiência em Jesus; foi uma falsidade que desfigurou a beleza de Cristo.

Pense num ícone antigo de Cristo.[4] Imagine que um *Cristo Pantocrator* pintado há mil anos num painel de madeira é descoberto em algum esquecido monastério. A imagem de Cristo está ali, mas está coberta com uma densa camada de fuligem, pó e sujeira que se acumulou durante séculos e quase apagou a imagem de Cristo. Agora imagine que um artista restaurador recebeu a incumbência de devolver o ícone à sua beleza e vibração originais. Pense em como o artista restaurador executa seu trabalho. Entre seus instrumentos, vamos encontrar pincéis e solventes, mas não vamos encontrar uma marreta ou explosivos. Não podemos restaurar uma obra de arte com os mesmos instrumentos que usamos para demolir um estacionamento. A demolição é fácil — qualquer idiota pode levá-la a cabo. Mas a restauração exige sabedoria, conhecimento, respeito e paciência.

O cristianismo do século 20 pode parecer um ícone que se perdeu e foi encontrado num monastério esquecido. A fé cristã foi de fato distorcida ao longo dos séculos com camadas de verniz, laca, sujeira e fuligem. A bela imagem de Cristo foi obscurecida pela imposição de preconceitos culturais, agendas políticas, doutrinas distorcidas e a corruptora influência de impérios. O fundamentalismo, o literalismo, o nacionalismo e o consumismo criaram camadas de verniz que distorceram a imagem de Cristo. No entanto, quando tentamos remover esses elementos contaminadores e recuperar a beleza de Cristo, não podemos empregar métodos cínicos e violentos. Se os empregarmos, corremos o risco de, no processo, destruir o inestimável tesouro. Devemos ser pacientes e reverentes. Se tudo o que pretendemos fazer se limitar a desconstruir e destruir a fé cristã, podemos desferir furiosas marretadas ou reduzir tudo a cinzas. Mas se pretendemos restaurar a fé cristã, então a paciência, a gentileza e a sabedoria se fazem necessárias.

Em nosso afã de resgatar a fé cristã de suas inúmeras distorções, não somos como o Talibã explodindo os Budas de Bamiyan, mas como os artistas que restauraram a vandalizada *Pietà* de Michelangelo. No processo de repensar o cristianismo, devemos sempre ter em mente que estamos lidando com algo imensamente precioso: a fé em Cristo. É precisamente porque a fé em Cristo é tão preciosa que nós — aqueles que esperam agarrar-se à fé cristã — estamos comprometidos com a difícil tarefa de restaurá-la em sua beleza original. Assim, não podemos usar o cinismo barato e a zombaria cruel nessa delicada tarefa. Cuidamos dela de modo paciente, reverente, gentil, sempre mostrando um profundo respeito por aquilo que sustentou a fé e a prática cristã por dois mil anos.

Como você pode imaginar, a desconstrução não é minha maneira preferida de falar sobre fazer ajustes críticos à fé ou à teologia. A desconstrução é um termo que nos foi dado pelo filósofo francês do século 20 Jacques Derrida. A teoria da desconstrução enfatiza a limitabilidade ou impossibilidade de jamais se chegar a uma interpretação final de um texto, uma vez que as palavras, segundo Derrida, são signos apontando para signos. (Todavia, como cristão, eu apelaria para a eterna fixidez do Logos.) O filósofo da religião John Caputo descreve a desconstrução de Derrida:

> Sempre que a desconstrução encontra uma casca de noz [*nutshell*] — um axioma seguro ou uma máxima incisiva — o próprio plano é perturbar essa tranquilidade. De fato, essa é uma boa regra geral na desconstrução. É apenas *disso* que a desconstrução trata. Esse é seu próprio significado e missão, se é que ela os tem. Seria até possível dizer que quebrar cascas de nozes [*nutshells*] é o que a desconstrução *faz*. Em suma, é isso [*In a nutshell*].[5]

Para Derrida, um texto pode ser desconstruído indefinidamente porque não existe essa coisa de genuíno significado fixo. E embora Derrida nos alerte para a possibilidade de motivos ocultos que podem nos emboscar num texto (muitas vezes tendo a ver com tentativas de ganhar poder), será que nós realmente queremos passar a vida toda quebrando cascas de nozes? Como Caputo astutamente ressalta, até mesmo a desconstrução pode ser desconstruída. Além disso, não podemos desconstruir eternamente e ver sobrar alguma coisa. No fim, precisamos ter uma razão para sair da cama de manhã. Ou, como disse René Girard numa conversa sobre a teoria da desconstrução de Derrida: "Eu ainda acredito que as palavras significam alguma coisa". Cornel West escreveu: "O maior defeito do projeto da desconstrução de Derrida é que ele valoriza uma sofisticada consciência irônica que tende a impedir e barrar análises que orientam uma ação com um propósito".[6]

A desconstrução parece ser uma metodologia cujo jogo não tem um estágio final. Às vezes, parece um convite a um cinismo sem fim. Se, como cristãos, tudo o que fazemos é desconstruir, no fim acabaremos num mundo sem nenhuma outra Páscoa. E um mundo sem Páscoas é um mundo sem esperança — um mundo à beira do precipício do niilismo. Se a história de um pastor testemunhando seu ateísmo num domingo depois da Páscoa é uma parábola pós-moderna, eu tenho outra história verdadeira que também é uma parábola pós-moderna. E aconteceu no dia em que Jacques Derrida morreu.

3
O dia em que Derrida morreu

Eu estava em Paris no dia em que Jacques Derrida morreu. Foi em Paris que o fundador da teoria da desconstrução morou, lecionou e escreveu durante mais de cinquenta anos. Ao contrário do que acontece nos Estados Unidos, onde os filósofos são decididamente ignorados na cultura popular, na França os filósofos inovadores ainda são famosos, e a morte desse importante pensador foi manchete nos noticiários. Eu estava em Paris para pregar numa igreja e lecionar numa faculdade bíblica durante alguns dias. No início daquela semana, havia visitado Notre-Dame, onde vi um anúncio de que no sábado à noite haveria uma apresentação multimídia em inglês sobre a história dessa grande catedral gótica. Desde a minha primeira visita a Paris uma década antes, e especialmente depois de ler *Os pilares da terra* de Ken Follett, eu me sentira fascinado com a Notre-Dame. Assim, na noite de sábado, tomei o trem no norte de Paris rumo ao centro para assistir à apresentação. Chegando cedo, decidi visitar a livraria de língua inglesa Sheakespeare and Company localizada na margem esquerda em frente à catedral do outro lado do rio. Essa famosa livraria era o ponto de encontro de membros da elite literária da Geração Perdida tais como Ernest Hemingway, James Joyce, Ezra Pound e E. E. Cummings. Fui à livraria em busca de alguma coisa para ler e estava procurando na seção que continha os mestres russos

— Tolstói, Dostoiévski, Tchekhov, entre outros. Encontrei o que estava buscando e comprei uma brochura de *O idiota*, de Dostoiévski.

O idiota foi publicado em 1868 e foi uma tentativa de Dostoiévski de criar uma alma perfeita no personagem do príncipe Míchkin, um jovem tão imune às tramoias e aspirações da alta sociedade russa que é chamado quarenta e cinco vezes de idiota do começo ao fim do romance. Mas o príncipe Míchkin não é um idiota; é simplesmente um homem motivado pelo amor altruísta em vez da ambição classista. No romance, as pessoas chamam Míchkin de idiota em conversas a respeito dele com outros membros da esnobe elite de São Petersburgo, mas quando estão a sós com o príncipe elas percebem sua genuína humildade e abnegada compaixão e parecem gostar de estar em sua presença. O príncipe Míchkin de Dostoiévski é, na verdade, uma figura de Cristo. Estranhamente, a frase mais famosa no romance provém de uma passagem que é completamente irrelevante para o desenvolvimento da trama. Numa festa, o jovem suicida niilista Hippolit Tierêntiev pergunta, zombando: "'É verdade, príncipe, que o senhor certa vez disse que a 'beleza' salvaria o mundo? Senhores', gritou para que todos ouvissem, 'o príncipe insiste que a beleza salvará o mundo! […] Que beleza salvará o mundo? […] O senhor é um zeloso cristão? Kólia diz que o senhor se denomina cristão'".[1]

Segundo boatos, o príncipe Míchkin disse que "a beleza salvará o mundo". No desenvolvimento geral do romance, essa questão é muito insignificante, mas a partir do momento em que o romance foi publicado, a enigmática frase de Dostoiévski "a beleza salvará o mundo" conquistou a imaginação de pensadores, filósofos e teólogos mundo afora. Em 1970,

Alexander Soljenítsin recebeu o Prêmio Nobel de Literatura. Em seu discurso na recepção do prêmio, Soljenítsin disse que "a beleza salvará o mundo" não foi uma frase desleixada de Dostoiévski, mas uma profecia. Quando Dostoiévski introduziu a frase "a beleza salvará o mundo" no léxico do pensamento religioso e filosófico por meio do personagem do príncipe Míchkin, ele estava claramente nos mostrando a beleza de Cristo.

Esse foi o livro que comprei em Paris no dia em que Derrida morreu. O estranho acerca da compra de *O idiota* na livraria Shakespeare and Company é que eu já tinha uma bela edição de capa dura desse romance da Everyman's Library — no quarto do meu hotel! Paguei doze euros pela brochura, pensando que teria uma hora para ler antes de voltar para o hotel. Admito que aquilo pareceu um pouco extravagante na ocasião, mas depois ficou claro que eu *precisava* ter aquele livro comigo.

Depois de comprar minha brochura de *O idiota*, atravessei a ponte rumo à Notre-Dame para a apresentação de uma hora de duração cobrindo novecentos anos de história da catedral. Embora o programa fosse sobretudo acerca do projeto e construção da Notre-Dame, ele começou com uma breve biografia de São Denis, o mártir do terceiro século e primeiro bispo de Paris que foi decapitado em 275. Fiquei profundamente tocado tanto pela coragem heroica de São Denis quanto pela devoção daqueles que trabalharam durante a vida inteira na construção da catedral, sabendo que não viveriam para vê-la finalizada. Tanto o primeiro bispo de Paris quanto os pedreiros da Notre-Dame viveram visando algo que sobreviveria a eles. Algumas dezenas de turistas anglófonos assistiram à apresentação multimídia, e ela não era particularmente religiosa. Contudo, no fim do programa, curvei a cabeça na imponente catedral gótica e fiz um oração singela: "Senhor, usa-me mais em Paris".

Deixando Notre-Dame, tomei o trem e continuei a leitura de *O idiota*. Na primeira estação seguinte, um jovem sentou-se à minha frente. Depois de alguns instantes, ele disse: "É um grande livro esse que o senhor está lendo". Erguendo os olhos, perguntei se ele o tinha lido, e ele respondeu que o estava lendo. Ambos pensamos que aquilo era uma coincidência interessante. Começamos a falar de literatura e filosofia e, a certa altura, a morte de Derrida entrou na conversa, e assim conversamos por alguns minutos sobre a teoria da desconstrução. O jovem era asiático, e seu nome era Yu. Acabara de se formar na faculdade e estava viajando pela Europa de carona. Nunca descobri exatamente de onde ele era, mas pelo sotaque acho que poderia ser de Cingapura. Quando lhe perguntei sobre seus estudos, ele me disse que conseguiu uma dupla graduação em ciência política e história. Comentei como era boa aquela combinação de diplomas, pois a ciência política é o estudo da tentativa humana de autogoverno e a história é o registro de nossos fracassos. Ele riu e concordou. Era óbvio que Yu era um jovem inteligente e motivado. Então lhe fiz uma pergunta direta:

— Yu, com o que sabe sobre política e história, que esperança você tem para o mundo?

— Ah, não tenho nenhuma esperança para o mundo — ele respondeu.

Eu lhe disse que isso parecia muito triste. Yu ficou calado por um momento e depois disse:

— Ouvi dizer que Fiódor Dostoiévski era cristão. O senhor sabe alguma coisa sobre isso?

— Na verdade, sei — respondi.

Depois contei a Yu como Dostoiévski fora criado numa família cristã ortodoxa, mas que durante seus anos no colegial tornara-se um agnóstico. Depois da faculdade e um breve período como engenheiro militar, Dostoiévski estava perseguindo uma carreira de escritor em São Petersburgo, onde aderiu a uma sociedade literária secreta que criticava a Rússia czarista. Quando tinha 27 anos, Dostoiévski e cinco membros da sociedade secreta foram presos por traição e condenados à morte. Depois de oito meses na prisão, o jovem escritor e seus companheiros foram transferidos da Fortaleza Pedro e Paulo para a Praça Semionovski, onde ele julgava que seria sua execução. O imperador Nicolau mudou a sentença, mas ordenou que o perdão só fosse anunciado no último momento. Os condenados foram levados à praça, de olhos vendados, foram amarrados a postes diante do pelotão de fuzilamento, e pouco antes que a ordem de atirar fosse dada, um homem chegou a galope anunciando que o imperador havia comutado a sentença para quatro anos de trabalhos forçados e quatro anos de exílio na Sibéria.

Dostoiévski foi imediatamente algemado, posto num trenó no rigor do inverno e levado para uma brutal prisão em Omsk — numa jornada de mais de três mil quilômetros! Quando ele estava entrando na prisão siberiana, que mais tarde descreveria como "a casa dos mortos", uma mulher lhe deu um exemplar dos evangelhos. Durante os quatro anos de seu aprisionamento, o único material de leitura que esse grande literato teve em mãos foram os relatos evangélicos da vida de Jesus Cristo. Leu esses evangelhos muitas e muitas vezes. João era seu preferido. Eu vi esse livro muito desgastado no museu de Dostoiévski em São Petersburgo. Como Alexander Soljenítsin um século mais tarde, foi durante seus anos na prisão que Dostoiévski passou a crer que Jesus Cristo é de fato o Salvador do mundo.

Essa foi a história que contei a Yu no trem em Paris no dia em que Derrida morreu.

Depois de ouvir sobre a fé em Cristo de Dostoiévski, Yu perguntou:

— O que o senhor faz?

— Sou pastor.

Yu ficou surpreso ao ouvir isso. Depois de um momento de pensativo silêncio, inclinou-se para perto de mim e sussurrou:

— Já que o senhor é um pastor, quero lhe contar uma coisa. Cresci numa família cristã, mas no colegial me tornei ateu. Hoje fui para a Notre-Dame, apenas para ver a arquitetura gótica, não para orar. Mas quando entrei na catedral e vi aquela beleza, senti que estava errado; sei que Deus existe. Tentei orar. Tentei dizer a Deus que estava arrependido, mas não acho que Deus tenha ouvido minha oração porque me afastei dele todos aqueles anos.

— Yu, deixe-me lhe dizer uma coisa — eu respondi. — Deus *na verdade* ouviu sua oração! Eu mesmo acabo de vir da Notre-Dame e eu também orei lá... orei pedindo a Deus que me usasse mais em Paris. Deus ouviu as nossas orações e está respondendo a ambas neste exato momento. Hoje à noite eu comprei esta brochura de *O idiota*, mesmo tendo um belo exemplar desta obra, com capa dura, no quarto do meu hotel. Eu precisava ter esta brochura comigo para que você a visse, e assim nós teríamos uma conversa sobre Derrida, Dostoiévski e Jesus e sobre como a beleza de Cristo salvará o mundo.

Os olhos de Yu se encheram de lágrimas. Perguntei-lhe se ele tinha lido a Bíblia. Ele disse que não. Sugeri que lesse o

Evangelho de João — o preferido de Dostoiévski. Yu prometeu-me que o leria. Depois perguntei-lhe se ele gostaria que eu orasse por ele. Disse que sim, e então orei para que Yu encontrasse em Jesus Cristo a esperança salvadora do mundo — exatamente como fez Dostoiévski. Quando terminamos de orar, levantei os olhos e vi que o trem estava na minha estação. Disse: "Yu, preciso descer", e saí do trem.

Essa é a verdadeira história minha e de Yu no trem em Paris no dia em que Derrida morreu. Nunca soube o sobrenome de Yu e nem mesmo de onde ele era. Fomos apenas dois passageiros no mesmo trem. Havíamos ambos estado na Notre-Dame naquele dia. Estávamos ambos lendo *O idiota*. Tivemos meia hora de conversa inspirada por uma figura de Cristo que algumas pessoas julgavam que era um idiota. Aconteceu um milagre naquele trem. Uma vez que, totalmente sem intenção alguma embora de modo providencial, nos tínhamos reunido ao redor de Jesus Cristo, não estávamos sozinhos. Pois como disse Jesus: "Onde dois ou três se reúnem em meu nome, eu estou no meio deles" (Mt 18.20). Sim, não tenho dúvidas de que Jesus estava com Yu e comigo no trem em Paris no dia em que a desconstrução morreu. E tenho certeza que Yu também sabia disso.

Notre-Dame em chamas

Contei essa história como uma parábola pós-moderna durante anos, mas agora ela tem um tocante apêndice. Era a segunda-feira da Semana Santa de 2019, e eu acabava de encerrar um culto de oração do meio-dia quando ouvi a terrível notícia de que a Notre-Dame estava em chamas. *A Catedral de Notre-Dame em chamas!* Liguei a televisão e fiquei assistindo horrorizado durante as três horas seguintes. Não me sentia assim desde o Onze de Setembro. Chorei. Milhões de nós choraram. A revista francesa *Paris Match* disse: "Hoje, eles choram por ela em todas as línguas".

Como outros milhões de espectadores, eu assisti em tempo real ao que parecia ser a dilacerante morte de um tesouro inestimável. Para mim, o momento mais terrível aconteceu quando o pináculo de 750 toneladas, já engolido pelas chamas, finalmente veio abaixo. Isso marcou o momento em que todos temeram que a Notre-Dame seria definitivamente perdida. "A Notre-Dame sempre havia parecido eterna, e os construtores medievais certamente pensaram que ela duraria até o Dia do Juízo Final; mas de repente vimos que ela podia ser destruída."[2] Enquanto eu olhava para a Notre-Dame na televisão, tudo estava em chamas, e que esperança de salvação poderia haver para ela agora?

Amo Paris. Penso que a Cidade das Luzes é a mais bela do mundo. Mas quando estou lá tenho a palpável sensação de sua profunda secularidade. Sim, as catedrais medievais ainda estão presentes, mas a fé contemporânea parece empurrada para a extrema periferia. Pode-se muito bem argumentar que Paris é o epicentro do ateísmo moderno e do secularismo ocidental. É o berço do Iluminismo, da Revolução Francesa, de Voltaire, do Barão d'Holbach e de Jean-Paul Sartre. Os parisienses modernos passando indiferentes pela Notre-Dame como que dando de ombros dia após dia poderiam ser uma adequada metáfora para o estado do cristianismo numa época secular. No entanto, quando caiu a noite no dia 15 de abril de 2019, as pessoas em Paris reuniram-se na frente da catedral ainda ardendo e fizeram uma vigília à luz de velas pela catedral. Não houve nenhum aplauso, ninguém tripudiou, ninguém gritou "já vai tarde", e ninguém tuitou "esvaziem os bancos" ou "queimem tudo". Em vez disso, "as câmeras da televisão mostraram milhares de rostos aflitos iluminados pelas chamas, alguns cantando hinos, outros simplesmente chorando enquanto viam a bela catedral queimando".³ Suspeito que muitos parisienses não sabiam quanto amavam sua catedral até vê-la em chamas. Seria fácil não dar o devido valor à Notre-Dame, até mesmo ignorá-la, e mesmo assim supor que ela sempre estaria lá se você decidisse visitá-la. Construções sofrem incêndios todos os dias, mas a maioria delas não faz o mundo chorar. Uma fábrica em chamas não é o mesmo que uma catedral em chamas; um supermercado em chamas não é o mesmo que uma catedral em chamas. Numa época secular que suspeita do sagrado, nós ainda no fundo sabemos que algumas coisas realmente são sagradas. Mas às vezes não sabemos quão sagradas elas são até que sofram um incêndio. Como cantou Joni Mitchell:

> Não parece sempre que se perde
> O que a gente nem sabe que tem
> Até perdê-lo?
> Pavimentaram o paraíso
> E fizeram um estacionamento.⁴

Suspeito que muitos parisienses não sabiam como era amada sua catedral até vê-la em chamas, e também suspeito que muitos que pensam já não ter nada a ver com o cristianismo talvez tenham mais a ver do que eles imaginam — pelo menos quando veem a Notre-Dame em chamas. A maioria das pessoas tem um instinto muito arraigado de que nós *não* queremos viver num mundo privado de uma comunidade que está pelo menos tentando preservar a beleza de Jesus.

Podemos criticar a igreja. Alguns podem pensar que para eles a igreja já não existe. Outros, em sua raiva, podem gritar "esvaziem os bancos!". Mas será que nós realmente pensamos que o mundo seria um lugar melhor sem a história de Jesus? Será que realmente queremos expulsar do mundo as Bem-aventuranças, o Sermão do Monte e a parábola do filho pródigo? Será que realmente pensamos que o mundo ficaria melhor sem natais e páscoas? Será que honestamente pensamos que seria melhor para a nossa vida reduzir nossa fé cristã a cinzas? Esse não é o tipo de desconstrução que conduz a um mundo melhor ou a uma vida melhor. Paris *não* é melhor sem a Notre-Dame, e o mundo *não* é melhor sem o cristianismo.

Felizmente, nossos piores medos não se realizaram. A Notre-Dame não foi inteiramente perdida; ela não pereceu naquelas horríveis chamas na Segunda-Feira Santa, mas chegou perto disso. O *New York Times* relatou que a catedral não foi perdida por uma questão de vinte minutos.[5] A Notre-Dame só foi salva porque uma equipe de bombeiros se prestou a levar mangueiras de incêndio subindo a escada em espiral até a torre dos sinos que ardia em chamas, depois que outra equipe se havia recusado a fazê-lo por causa do perigo. Graças à atuação heroica dos bombeiros que arriscaram a vida por sua amada catedral, as torres não ruíram. A Notre-Dame foi salva. Foi gravemente prejudicada, mas não se perdeu para sempre.

Uma das mais icônicas fotos do incêndio da Notre-Dame foi tirada de dentro da catedral na manhã depois do incêndio. Em primeiro plano, vemos vigas chamuscadas do teto que ruiu jazendo entre os bancos dos fiéis e o altar. No altar-mor, vemos a estátua de mármore da Virgem Maria segurando o corpo inerte de Cristo depois de sua crucificação. Acima da estátua de mármore há uma grande cruz dourada que está refletindo a luz e parece postar-se triunfante sobre os destroços. Atrás da cruz, os vitrais do lado leste da catedral estão brilhando com o nascer do sol. A fotografia parece ser um testemunho da realidade da catástrofe, mas, tudo considerado, ela transborda esperança. Durante a noite, tudo estava em chamas; porém, no alvorecer a catedral ainda permanece de pé, a cruz ainda brilha e os raios de esperança ainda iluminam um lugar sagrado.

O que podemos fazer quando tudo está em chamas? Talvez possamos reconhecer que nem todas as nossas estruturas de crença são as mesmas. Algumas merecem ser condenadas, algumas precisam ser desconstruídas, e algumas não merecem ser salvas. Mas outras estruturas de crença merecem que se arrisque tudo para preservá-las. No caso de Yu, sua fé teve uma segunda chance quando ele visitou a Notre-Dame no dia em que Derrida morreu. Uma catedral que pode fazer algo assim merece ser preservada, e o mundo agradece àqueles bombeiros que para isso arriscaram sua vida. Se uma catedral inspirada pela fé cristã e construída para a glória dessa fé merece ser salva, muito mais digna de ser salva é a *fé cristã em si*.

Se você está atravessando um período de desconstrução, talvez valha a pena tentar salvar aquilo que é precioso antes de deixar que tudo seja devorado pelas chamas. Talvez valha a pena tentar separar o trigo da palha antes de partir para um mundo sem mais outras páscoas. A desconstrução não deve significar demolição. Estou convencido de que a bela catedral da fé cristã que resistiu por dois milênios e ajudou a inundar o mundo com a mensagem de Jesus merece que se tente salvá-la. Renove o que precisa ser renovado, jogue fora o que precisa ser jogado, desconstrua o precisa ser desconstruído, e até mesmo deixe que alguma coisa seja queimada, mas não deixe que *tudo* seja reduzido a cinzas. A catedral da fé cristã, que nutriu e carregou a mensagem do evangelho de Jesus Cristo, merece nossos melhores esforços para salvá-la. Ver a Catedral de Notre-Dame num dia de primavera durante um passeio ao longo da margem esquerda do Sena em Paris me lembra que a fé cristã ainda pode representar uma bela presença em nosso mundo.

• • •

Era um daqueles dias de primavera tão suave e belo que toda a Paris o trata como um domingo, enchendo as praças e as avenidas. Durante dias assim de céu claro, de calor e paz, ocorre um momento supremo apropriado para apreciar o portal de Notre-Dame. É quando o sol, já descendo, brilha quase diretamente na catedral. Seus raios, cada vez mais horizontais, lentamente deixam a calçada e escalam a fachada vertical para realçar os inúmeros entalhes contra suas sombras, até que a grande rosácea, como o olho de um ciclope, é avermelhada como que pelos reflexos de uma fornalha.

VICTOR HUGO, *O CORCUNDA DE NOTRE-DAME*[6]

4
O fim é o começo

O fato crucial de minha vida ocorreu quando eu era muito jovem, apenas um adolescente. Na precária idade dos quinze anos, quando estava começando a enveredar por alguns caminhos destrutivos, Jesus Cristo prendeu meu coração com uma fascinação sublime. Consigo relatar os acontecimentos de meu súbito despertar espiritual, mas durante todos esses anos que se sucederam ainda não entendo *por que* isso aconteceu. Numa significativa encruzilhada muito cedo em minha existência, por que o curso de minha vida inteira de repente mudou devido a um encontro com Jesus Cristo? Eu não sei; isso continua sendo um mistério. O que eu sei é que, no centro de minha fé, não se encontra uma religião ou um livro ou uma teologia, mas sim uma pessoa — o Senhor Jesus Cristo crucificado e ressuscitado. Antes de eu jamais ler um livro de teologia ou mesmo antes que tivesse lido a Bíblia seriamente, passei a crer que Jesus Cristo é o Filho de Deus, o Salvador do mundo. Por quê? A única explicação que posso apresentar é dizer com o apóstolo Paulo que "foi do agrado de Deus revelar seu Filho a mim" (Gl 1.15-16). Confesso isso, mas não posso prová-lo. Não posso provar que Deus me revelou seu Filho; tampouco isso pode ser desmentido — só posso atestá-lo e deixar que outros decidam se meu testemunho merece crédito.

Todavia, não posso negar o ardente testemunho de meu coração. Como John Wesley, eu também senti meu coração estranhamente aquecido pelo Filho de Deus ressuscitado. O centro do ser humano é o coração — não a mente. Não pensei meu caminho rumo à fé; em vez disso, encontrei Cristo com meu coração. No final das contas, o testemunho de meu coração merece tanto crédito quanto o raciocínio de minha mente. E se você disser que o coração pode se enganar, eu vou dizer que também a mente pode se enganar. Um coração puro pode ser confiável. Como disse Jesus: "Felizes os que têm coração puro, pois verão a Deus" (Mt 5.8). Minha conversão foi mística, não racional. Mas isso não a torna menos digna de crédito. Como sabidamente disse Blaise Pascal: "O coração tem razões que a própria razão desconhece".[1] Quando se trata de depositar minha fé em Jesus, eu sigo o coração. Se meu coração me enganou a respeito de Jesus Cristo, então se trata do mais belo de todos os enganos. Mas não posso acreditar que a mais bela de todas as histórias seja fruto de uma mentira.

A percepção da verdadeira beleza (não o mero embelezamento) é um guia tão confiável da verdade profunda como é a razão. Minha experiência é que a beleza é um guia mais confiável do que a razão. Voltaire, o mordaz crítico iluminista do cristianismo, disse certa vez: "Se Deus não existisse, seria necessário inventá-lo".[2] Mas eu digo que se Jesus Cristo não houvesse existido, nós nunca o teríamos imaginado. Quem teria imaginado que bilhões de pessoas passariam no futuro a adorar um judeu crucificado? O evangelho existe não porque foi inventado, mas porque aconteceu. A coisa mais espantosa que sei sobre o evangelho é que, estando disfarçada sob a desfiguração de uma repulsiva crucificação e morte, Cristo na cruz é paradoxalmente a revelação mais clara de quem Deus é. E eu não consigo imaginar nenhuma notícia melhor do que a boa notícia de que Deus é como Jesus. Algumas coisas no universo são boas demais para *não* serem verdadeiras.

Sua casa teológica

A jornada de toda a minha vida com Jesus começou com uma experiência mística, mas foi naturalmente preciso construir uma casa teológica em torno de Jesus. Minha casa teológica, e com isso me refiro à teologia, consiste em como eu penso e falo sobre o Deus revelado em Cristo. Minha casa teológica é o palácio em minha mente para o Cristo Rei. A casa teológica é importante, mas apenas porque é o palácio do Rei, e nós nunca devemos nos esquecer de que o Rei e o palácio não são sinônimos. Em outras palavras, o centro da fé cristã não é a teologia, é Cristo. Isso não significa que nossa casa teológica não seja importante ou necessária. De fato, nossa casa teológica não é apenas importante, mas é também inevitável. Qualquer tentativa de pensar ou falar sobre o Deus revelado em Cristo significa envolver-se numa construção teológica. Assim, todos temos uma casa teológica — parte dela nós herdamos e outra parte nós mesmos construímos. Nossa casa teológica não está em Jesus, mas no espaço que Jesus ocupa em nossos pensamentos e falas. Nossa casa teológica pode ser útil e eficaz, digna de nosso Rei, ou pode ser inadequada, talvez ofensiva e indigna de nosso Rei.

Depois de meu encontro inicial com Cristo, comecei a construir minha casa teológica. Cada vez que eu formava uma opinião sobre Deus ou ousava afirmar que Deus era de um determinado modo, eu estava construindo minha teologia — mesmo estando quase inteiramente inconsciente disso.

Não pensava em mim mesmo como o construtor de uma teologia. Simplesmente pensava: "Estas são as coisas que eu sei sobre Deus" (fossem elas verdadeiras ou não). Eu não tinha sobretudo consciência de que minha casa teológica era uma combinação de antigas tradições e modernas fantasias, fiéis ortodoxias e aberrantes falácias. Adquiri os materiais para a construção de minha casa teológica de vários fornecedores: a igreja batista de minha infância, o Movimento de Jesus e a renovação carismática dos anos 1970, e todos os tipos de pregadores e professores populares que casualmente segui. Por mais ou menos vinte e cinco anos, minha casa teológica foi, digamos, adequada. Ou eu pensava que fosse.

Por volta dos quarenta anos de idade, comecei a tomar consciência de certas inadequações em minha casa teológica. Ela era em geral pequena demais, sobretudo pobre demais e em seu conjunto baseada demais no berrante estilo do fundamentalismo moderno. Jesus continuava morando em minha casa teológica, onde o adorava como Rei, mas eu estava vivendo com meu Rei numa construção indigna — uma teologia caracterizada demais pela certeza sectária, pelo individualismo ocidental, o consumismo americano e o nacionalismo religioso. Nunca duvidei de Jesus, mas comecei a ter sérias dúvidas sobre a casa teológica que eu havia construído em torno dele.

No outono de 2003 cheguei ao ponto em que disse: "Não posso mais continuar nesta casa". Agarrava-me a Jesus, mas minha casa dilapidada estava se tornando inabitável. Temia que ela fosse condenada. Sentia-me embaraçado demais em minha casa teológica para convidar alguém a entrar nela. Não me envergonhava de Jesus, mas a casa teológica que eu tinha construído ao redor dele tornara-se motivo de embaraço. Teorias da escatologia, teorias da expiação e teorias do juízo final que havia herdado ou adotado ao longo do caminho agora pareciam chocar-se com a beleza de Cristo. Uma inevitável grande guerra escatológica no Oriente Médio, a cruz como a violenta ira do Pai descarregada em seu Filho, o inferno como a eterna câmara de tortura de Deus — essas ideias teológicas haviam se tornado repulsivas demais; já não podia suportá-las. Precisava fazer alguma coisa. A graça redentora foi que eu consegui estabelecer uma distinção crítica entre Jesus Cristo e minha casa teológica. Jesus Cristo é o mesmo ontem, hoje e sempre, mas minha casa teológica não. Era evidente que minha casa teológica *não* podia permanecer a mesma ontem, hoje e sempre. Estava na hora de um grande projeto de reforma!

Em 2004, iniciei uma intensa renovação teológica. Não pretendia demolir minha fé; queria restaurá-la. Isso implicava muita oração, leitura, reavaliação e envolvimento com novas vozes, quer antigas quer modernas. Foi um tempo estimulante, embora não tenha sido fácil. Reformar minha casa *enquanto ainda morava nela* foi uma coisa confusa e disruptiva! A reforma de minha casa teológica foi igual a todos os projetos de reforma: foi muito mais complicado, demorou muito mais e custou mais do que o previsto. Mas tudo valeu a pena!

Quando falo em renovar uma casa teológica, convém entender que uma casa teológica não é uma coisa simples. Não é um bangalô de um cômodo; uma casa teológica mais se parece com uma mansão esparramada com dezenas de aposentos. Alguns aposentos em minha casa teológica ficaram praticamente intactos. Alguns foram apenas ligeiramente reformados. Mas alguns outros estavam dilapidados demais para serem salvos: precisaram ser demolidos. Uma nova demão de tinta não resolveria o problema; em vez disso, entrou em ação a marreta. Parti para uma grande reforma de minha casa teológica quando cheguei ao ponto onde não havia outra escolha. Eu acreditava em Jesus, mas na meia-idade percebi que grande parte de minha teologia era incongruente com aquele que era o verdadeiro objeto de minha fé. Eu estava disposto a sacrificar minha teologia pelo meu Senhor.

A escatologia que eu havia herdado do dispensacionalismo moderno e a teologia do arrebatamento que dominava o evangelicalismo popular compreendiam uma ala inteira de minha casa teológica, e nada disso podia ser preservado — tudo devia submeter-se à desconstrução teológica. Muitas partes de minha casa teológica só precisavam de renovação, mas a escatologia devia ser demolida. Graças à ajuda de estudiosos dignos de crédito tais como N. T. Wright, Barbara Rossing e Richard Bauckham, consegui rapidamente demolir a escatologia superviolenta, condenatória, típica da ficção escapista apresentada em livros como *A agonia do grande planeta Terra* e a série Deixados Para Trás, e substituir tudo por uma escatologia teologicamente sólida e digna do Príncipe da Paz. Posso afirmar que, na reforma de minha casa teológica, minha cristologia ficou praticamente intacta, minha soteriologia foi reformada e minha escatologia foi completamente substituída.

Embora *desconstrução* não seja meu termo preferido para o processo de fazer ajustes teológicos necessários, o fato é que parte de minha transição teológica envolveu de fato a desconstrução. Esses aspectos da desconstrução não derivaram de um sentimento de raiva ou cinismo, mas de uma busca da verdade e da beleza. Na medida em que meu crescimento espiritual envolveu alguma desconstrução, posso dizer que foi uma desconstrução que levou para a nova construção de uma teologia mais bela. Hoje, minha casa teológica, embora nunca inteiramente acabada, é um lugar para uma vida confortável e já não me causa embaraço. Mais importante ainda, minha casa teológica hoje é mais digna do Cristo Rei.

Durante a reforma de minha casa teológica, tive de confiar no Espírito Santo como meu empreiteiro. O Espírito me orientou para os livros certos, os amigos certos, as orações certas. Quando perguntei quanto essa reforma me custaria, o Espírito me informou que eu tinha de transferir tudo para uma procuradora e confiar nos cuidados dela. Várias vezes durante a reforma tive medo de que tudo estava perdido e se encaminhando para um fim desagradável. Mas não foi isso que aconteceu. Ocorre que aquilo era tudo parte do processo que resultou na bela reforma. Eu estava renascendo de novo, e o fim foi o começo. Essa é minha história, mas Maria Madalena tem uma história semelhante.

Maria Madalena: a apóstola dos apóstolos

Maria Madalena era uma mulher de posses proveniente de Magdala, a maior e mais próspera aldeia de pescadores no mar da Galileia. Ela estava entre as ricas e influentes mulheres da Galileia que apoiaram financeiramente o ministério itinerante de Jesus e seus discípulos. Entre essas patrocinadoras, deparamos com Joana, a esposa de Cusa, responsável pela residência de Herodes Antipas. É óbvio que não devemos imaginar que essas mulheres eram simples camponesas. Embora a iconografia cristã tenda a representar Maria como uma mulher jovem, não há nenhuma indicação de que esse fosse o caso, e provas circunstanciais nos levam a pensar que ela provavelmente era uma mulher mais velha, talvez dona de seu próprio negócio e possivelmente uma viúva. E deve ficar bem claro que Maria Madalena não era uma prostituta! Essa lenda infeliz em grande parte passou a existir devido a um sermão pregado por Gregório Magno em 591, quando equivocadamente ele confundiu Maria Madalena com a mulher sem nome, "uma pecadora", que encontramos em Lucas 7.

Embora não sendo uma prostituta, Maria Madalena era uma alma atribulada. Tanto Marcos quanto Lucas nos contam que Jesus havia expulsado dela sete demônios. Que forma as tribulações demoníacas de Maria tomavam nós não sabemos; o que sabemos é que depois de encontrar-se com Jesus e ser curada de seus demônios ela se tornou sua mais fiel seguidora. Maria seguiu Jesus pela Galileia. Ela o seguiu para Jerusalém. Estava presente na crucificação dele quando os discípulos se ausentaram. Estava com ele em seu enterro. Foi a primeira pessoa a encontrar-se com o Cristo ressuscitado e a primeira a proclamar a ressurreição. Com justiça se diz que Maria foi a apóstola dos apóstolos. Com exceção de Maria, a mãe de Jesus, Maria Madalena é a mulher mais importante no Novo Testamento. Pelo fato de todos os quatro evangelhos mencionarem nominalmente Maria Madalena como testemunha da ressurreição, Cynthia Bourgeault enfatiza sua importância:

> Dada a areia movediça da história oral, a unanimidade desse testemunho é impressionante. Sugere que entre os cristãos dos primórdios a estatura de Maria Madalena é da maior importância — mais até do que a da Virgem Mãe (mencionada como presente na crucificação apenas em um dos evangelhos e em

nenhum deles na ressurreição). O lugar de honra de Maria Madalena é tão expressivo que até a pesada mão de uma eclesiologia posterior dominada por homens não consegue inteiramente desalojá-la.[3]

O encontro na Páscoa de Maria com Jesus no jardim de José de Arimateia é uma das histórias mais tocantes nos evangelhos. Ela pode ter sido a mais fiel seguidora de Jesus, e no entanto nem ela estava preparada para a morte dele. Como todos os outros seguidores, Maria esperava que Jesus fosse coroado como rei, não com uma coroa de espinhos. Maria, porém, foi testemunha de todos os horrores da paixão de Jesus. Depois de ver a crucificação, morte e sepultamento de seu Mestre amado, Maria entrou na noite escura do triste fim. O Jesus que ela havia conhecido e amado estava morto. Coube a ela a suprema noite escura da alma, a mais brutal desconstrução da fé. Mas isso não é o fim da história.

Cedo, no primeiro dia da semana, enquanto ainda estava escuro, Maria Madalena veio para o túmulo de Jesus (Jo 20.1). A aurora ainda não havia chegado, e Maria ainda estava na noite escura de uma desconstrução tão severa que tudo parecia perdido. Na escuridão do desespero, Maria veio como uma pranteadora visitar o túmulo de Jesus, o local da dissolução final da fé que ela alimentou. Mas o que Maria supunha ser o fim foi de fato um novo começo. Uma noite escura da desconstrução *pode* ser seguida por uma nova aurora de fé renovada. Junto ao túmulo inexplicavelmente vazio, Maria encontrou um Jesus que ela não reconheceu — um estranho que ela supôs ser o jardineiro. Foi só depois que ele falou o nome dela que Maria reconheceu o jardineiro como Jesus.

"Mulher, por que está chorando?", perguntou ele. "A quem você procura?"

Pensando que fosse o jardineiro, ela disse: "Se o senhor o levou embora, diga-me onde o colocou, e eu irei buscá-lo".

"Maria!", disse Jesus.

Ela se voltou para ele e exclamou: "Rabôni!" (que, em aramaico, quer dizer "Mestre!").

Jesus lhe disse: "Não se agarre a mim, pois ainda não subi ao Pai".

João 20.15-17

Jesus pede a Maria que não se agarre a ele. Por quê? A resposta está relacionada com a ascensão de Jesus. Maria tinha de parar de agarrar-se ao Jesus que havia previamente conhecido — um Jesus confinado aos limites comuns do tempo e espaço — e depois começar a conhecê-lo como aquele que agora "enche consigo mesmo todas as coisas em toda parte" (Ef 1.23). Maria Madalena precisava parar de agarrar-se ao Jesus que havia conhecido no passado a fim de reconhecer o Cristo ressuscitado que estaria presente para ela agora e para sempre. O Cristo ressuscitado que Maria encontra no jardim não é uma pessoa diferente daquela que ela conheceu na Galileia, mas *agora ele deve ser conhecido de um modo diferente*. Maria havia conhecido o Jesus histórico — o Jesus que agora está para sempre encerrado num tempo e lugar histórico específicos. Mas ela não podia agarrar-se ao Jesus histórico para sempre.[4]

Depois da ascensão de Jesus, Maria deve conhecê-lo não como a figura histórica que caminhou pela Galileia, mas como o Cristo ressuscitado que ascendeu ao céu, aquele que agora enche o cosmos com sua presença salvadora. Maria não pode agarrar-se ao Jesus histórico; ela deve comunicar-se com o Cristo que ascendeu ao céu. Seria esse um modo inferior de conhecer Jesus? Não! Lembre-se, o apóstolo Paulo jamais conheceu o Jesus histórico, e no entanto ninguém nos forneceu uma revelação de Jesus Cristo superior à que nos deixou Paulo. O Jesus da história foi conhecido apenas por um pequeno grupo de pessoas que moraram na Galileia e Judeia no primeiro século, mas o Cristo ressuscitado é acessível a todas as pessoas em todos os tempos. "O Cristo ressuscitado é o único homem que está presente e está em comunhão perpétua com todos os seres."[5]

A busca do Jesus histórico

Em 1906, Albert Schweitzer publicou seu livro seminal *A busca do Jesus histórico*, inaugurando várias ondas de pesquisa acadêmica sobre o Jesus da história. Entre outros notáveis estudiosos associados à pesquisa do Jesus histórico estão Ernst Käsemann, Robert Funk, John Dominic Crossan, E. P. Sanders, James Dunn, Marcus Borg, Richard Hayes e N. T. Wright. Li boa parte das pesquisas sobre o Jesus histórico e me beneficiei disso. É útil conhecer o máximo possível sobre o Jesus de Nazaré em seu contexto histórico. Mas temos de ter em mente que não podemos de fato alcançar o Jesus histórico — não podemos viajar para trás no tempo. O passado está do outro lado de um abismo que não podemos transpor. O Jesus de Nazaré que caminhou pelas colinas da Galileia calçando poeirentas sandálias é inatingível.

Todavia, *podemos* encontrar o Cristo que Maria Madalena encontrou como um jardineiro ao lado de um túmulo vazio, o Cristo que os dois discípulos encontraram como um estranho no caminho para Emaús, o Cristo que Saulo de Tarso encontrou numa luz ofuscante no caminho para Damasco. Uma pessoa histórica está fechada num passado inatingível, mas o Cristo ressuscitado que ascendeu ao céu está disponível para todos. Basicamente, não precisamos ter acesso ao Jesus histórico, mas sim ao Senhor ressuscitado. Não vamos encontrar Jesus numa escavação histórica, mas no lugar de oração e culto.

Inicialmente, encontrar Jesus e começar a conhecê-lo é uma coisa maravilhosa. Para Maria Madalena, significou livrar-se de sete demônios. Mas nem mesmo Maria Madalena pode supor que seu primeiro entendimento de Jesus capturou a plenitude de quem é Jesus. O Jesus que Maria encontrou no jardim transcendeu muito seu entendimento inicial do Jesus que ela primeiro conheceu na Galileia. Mas entre a libertação de Maria Madalena de seus sete demônios e o encontro dela com o Cristo ressuscitado na aparência de um jardineiro houve uma noite escura quando tudo pareceu perdido. A beleza da história de Maria é que uma noite escura foi apenas o antecedente de uma nova aurora quando um fim amargo se transformou num novo começo.

Como Maria Madalena, você pode atingir um ponto em sua fé que parece ser um beco sem saída. Ou, para usar minha metáfora anterior, você pode perceber que partes de sua casa teológica talvez precisem passar por alguma desconstrução como parte de uma grande reforma. Mas isso não deve significar o fim de sua fé cristã — isso *pode* levar a um novo começo. O problema é que doutrinas estranhas, ideias erradas sobre Deus e atitudes erradas em relação à cultura podem associar-se a sua fé em Jesus. Isso com frequência acontece na infância ou no início da conversão. Por um tempo, essas ideias, teologias e atitudes erradas podem não causar problema algum, mas depois acontece algo que pode pôr nossa fé em perigo. Poderia ser qualquer coisa — a descoberta de que o universo *não* tem seis mil anos de idade e de que a evolução é uma teoria científica predominantemente digna de crédito; uma visita a Auschwitz que desperte questões perturbadoras acerca da perniciosa doutrina do eterno tormento consciente; ou a leitura de um versículo da Bíblia dizendo que as mulheres devem manter-se caladas na igreja, tendo você de admitir que não acredita nisso. De repente você está envolvido numa crise de fé, mas isso não deve ser o fim. Pode ser uma oportunidade para ir além do literalismo, do infernalismo e do biblicismo que na verdade nunca foram compatíveis com uma fé madura em Jesus Cristo.

Conselhos adquiridos a duras penas

Esses exemplos de coisas que podem desencadear uma crise de fé não são imaginários; foram extraídos de minha experiência de pastor. Conversei com pessoas cuja fé foi ameaçada por maneiras erradas de pensar sobre a ciência, o inferno, a Bíblia e outras ideias nocivas que elas foram adotando ao longo do caminho. Consegui ajudar gente a superar essas escuras crises de fé e chegar a regiões ensolaradas de uma fé renascida. Então, por favor, permita-me compartilhar com você cinco conselhos adquiridos a duras penas.

Não tenha medo e não tenha vergonha. Passar por períodos de dúvida faz necessariamente parte do crescimento espiritual e não se trata de nada de que devamos sentir embaraço. Mateus conta que no encontro do Cristo ressuscitado com os apóstolos no monte da Galileia, eles "quando o viram, o adoraram; alguns deles, porém, duvidaram" (Mt 28.17).

De que duvidaram eles? Duvidaram de que ele era Jesus? Duvidaram de que Jesus estava realmente vivo? Duvidaram se deviam ou não adorar Jesus? Duvidaram de sua própria capacidade de pôr em prática a tarefa que Jesus lhes estava passando? Quem sabe? Não temos informações sobre isso. Alguns duvidaram. E daí? A dúvida deles não desqualificou a fé que tinham, e a dúvida que você tem não deve desqualificar a sua fé. Às vezes a dúvida é a porta de entrada para uma fé melhor.

Aos quarenta anos de idade, eu comecei a duvidar de algumas coisas. Comecei a duvidar da escatologia dispensacionalista que eu havia herdado. Comecei a duvidar da compatibilidade de uma doutrina do eterno tormento consciente com o Deus de amor revelado em Jesus Cristo. Comecei a duvidar da confortável associação entre o patriotismo americano e o cristianismo. Comecei a duvidar da credibilidade do cristianismo consumista que era tão popular. E todas essas dúvidas eram *boas*! Eu estava duvidando daquilo de que se *devia* duvidar. Em certo sentido, posso dizer que duvidando forjei meu caminho rumo a uma fé melhor.

Tenha em mente que sua casa teológica não é Jesus. Quando passei por um período de profunda reavaliação teológica — chame-a de desconstrução se preferir — eu nunca, nem sequer uma vez, temi perder Jesus. Percebo que essa não é a experiência de todo mundo, mas por uma razão qualquer eu consegui fazer a vital distinção entre o meu Senhor e a minha teologia. Estava disposto a sacrificar todas as minhas certezas, toda a minha metodologia e, se fosse necessário, até a minha vocação para continuar na jornada de seguir Jesus. Eu podia orar: "Jesus, acredito em ti mesmo não sabendo exatamente o que isso significa ou como serão as coisas quando eu chegar ao outro lado de tudo isso". Meu fator constante era minha fé em Jesus Cristo como o Filho de Deus. Essa fé não precisava estar vinculada a nenhuma específica escatologia, ou teoria da expiação, ou especulação acerca da vida futura.

Quando converso com ex-cristãos que se tornaram ateus, muitas vezes lhes peço que descrevam o Deus em quem não acreditam, e quase sempre posso dizer: "Eu também não acredito nesse Deus". Se dizem: "Não consigo acreditar num Deus que fosse capaz de torturar eternamente a vasta maioria da humanidade simplesmente por não terem acreditado nas coisas certas", eu respondo: "Eu também não consigo acreditar *nesse* Deus, e não acredito que *esse* Deus existe". Esses céticos não são realmente ateus *intelectualmente convictos*; são ateus *que protestam*. Eles não levantam uma objeção *racional* contra Deus; levantam contra ele uma objeção *moral*. Estão dizendo que um Deus caprichosamente cruel não deveria existir. E tenho o prazer de anunciar que um Deus assim *não* existe. Por favor, entenda que você pode abandonar doutrinas absurdas e odiosas e ainda manter-se firme com Jesus.

Cuidado com o pêndulo. Uma reação raivosa contra *tudo* o que faz parte de sua herdada tradição é provavelmente insensata e desnecessária. Você não precisa aplicar uma bola de demolição a toda sua casa teológica. Tente agir em reação à luz e ao amor, não em reação à raiva e ao ressentimento. A menos que provenha de uma seita aberrante e abusiva, você provavelmente recebeu muitos tesouros de sua tradição que merecem apreço. Talvez lhe tenham transmitido uma escatologia ruim ou uma teologia desagradável do juízo final, mas também lhe falaram sobre o Jesus que perdoa os pecadores e oferece vida abundante.

A menos que você provenha de uma comunidade religiosa deliberadamente manipuladora, sua igreja lhe transmitiu ideias erradas acerca de Deus de boa-fé — eles não estavam tentando enganar você, mas simplesmente não sabiam nada melhor. Estavam apenas tentando ensinar o que outros lhes haviam ensinado. Se você recebeu a graça de ver alguma coisa melhor, agradeça-lhes pelos erros que eles não puderam evitar. E aqui vai mais uma advertência sobre o fenômeno do pêndulo. Quando membros de uma tradição conservadora começam a questionar alguns princípios do conservadorismo teológico, eles com frequência acham um jeito de avançar com uma teologia mais progressista. Mas não se deve supor que um movimento progressista é em todos os casos um jeito de avançar. É importante entender que o fundamentalismo progressista é exatamente tão falso e destruidor como o fundamentalismo conservador. Procuramos descobrir o Deus revelado em Cristo, não num -ismo, quer conservador quer progressista.

Abra-se para todo o corpo de Cristo. Aquelas crenças que mais precisam de desconstrução e reforma são geralmente o produto de campos isolados e sectários. O beco sem saída teológico aonde você chegou pode ser apenas um beco sem saída numa vizinhança relativamente pequena dentro do vasto reino de Cristo. É muito improvável que os problemas teológicos com os quais você está lutando sejam exclusivamente seus. É mais provável que outros cristãos tenham se debatido com questões semelhantes durante séculos e que haja dezenas de bons livros para ajudar você a superar seus enigmas teológicos. Mas talvez você não os encontre em sua denominação ou movimento específico. A solução pode ser você se tornar mais ecumênico e tentar ampliar o campo de suas leituras. Procure aqueles que são considerados os melhores pensadores e professores dentro de várias tradições: ortodoxa oriental, católica romana, anglicana, protestante tradicional, anabatista, evangélica e pentecostal. Eu me beneficiei muito da soteriologia ortodoxa, das práticas de formação espiritual católicas, da liturgia anglicana, da sabedoria tradicional, dos estudos pacíficos anabatistas, da energia evangélica e da ênfase pentecostal no Espírito Santo.[6]

Tenha paciência — uma nova aurora vai chegar. Entre a morte na Sexta-Feira Santa e a ressurreição no Domingo de Páscoa, situa-se a paciente espera do Sábado Santo. Maria Madalena viu Jesus morrer, e ela viu Jesus vivo de novo. Mas nesse ínterim ela teve de esperar durante um longo sábado. Se você esperar, encontrará Jesus outra vez de uma maneira nova. Se, porém, abandonar tudo, talvez nunca mais encontre Jesus num estado novo como o encontrou Maria. Se você está passando por uma desconstrução e esperando renovar sua casa teológica, lembre-se de que projetos de reforma levam tempo. Não importa o que lhe tenham dito, levará mais de duas semanas.

Minha transição da água para o vinho levou vários anos, e mais outros anos foram necessários para conduzir a igreja através dessa transição. A maturidade espiritual reside na paciência, não em ações precipitadas. A jornada espiritual está, naturalmente, sempre em andamento, mas você não vai ficar desconstruindo e reformando para sempre. Tenha paciência, e chegará o dia em que sua fé encontrará espaço para um estado novo, com paz e contentamento. Lembre-se, Jesus chamou você, e ele não o abandonará. Você conhece a voz dele chamando. Conhece o amor dele atraindo você. Pode confiar naquela voz e pode confiar naquele amor. Esteja certo de que Jesus está guiando você para um bom lugar. T. S. Eliot disse isso desta maneira:

> Com o traçar deste Amor e a voz deste Chamado
> Não cessaremos a exploração
> E o fim de nosso explorar
> Será chegar aonde começamos
> E conhecer o lugar pela primeira vez.[7]

5
A perda de Jesus

Se em nossa longa jornada de fé atingimos um ponto em que o sistema de crença que herdamos, moldamos e professamos é questionado porque agora o consideramos ingênuo, contraditório, intolerante ou talvez pura e simplesmente falso, podemos temer que vamos perder Jesus para sempre. Essa é uma ideia perturbadora. Se em nome de uma integridade moral e intelectual somos forçados a rejeitar o que é desagradável e incoerente na teologia cristã, será que também não devemos deixar Jesus para trás? Jesus não está tão inseparavelmente vinculado ao cristianismo que repensar profundamente o cristianismo é arriscar perder Jesus? Na resposta a essa pergunta, precisamos fazer uma distinção crítica entre três entidades separadas: Jesus Cristo, a igreja e o cristianismo.

Cristo é a Palavra de Deus — o Logos eterno assumindo corpo humano em Jesus de Nazaré.

A *igreja* é a comunidade reunida dos batizados que confessam que Jesus é Senhor e acreditam que Jesus é a verdade de Deus revelada na vida humana.

O *cristianismo* é a religião das crenças e práticas acerca de Jesus Cristo desenvolvidas pela igreja.

Expressando isso do modo mais sucinto possível, Cristo é Deus, a igreja é uma comunidade, e o cristianismo é uma religião. O reconhecimento de que o cristianismo é uma religião ajuda a moderar a tendência a afirmações temerárias do tipo tudo ou nada. Não devemos afirmar que o cristianismo é a verdade suprema. Mais apropriadamente, o cristianismo afirma que *Jesus Cristo* é a verdade suprema. É claro que Jesus Cristo precisa ser interpretado, e esse é o projeto da igreja ao longo do tempo. As conclusões da igreja a respeito de Cristo são o que achamos no cristianismo. A igreja tem um consenso acerca da verdade de Cristo, e é isso que vemos resumido nos credos históricos.

Mas também existe uma profunda discordância no seio da igreja sobre como interpretar a totalidade da verdade tal qual é revelada em Cristo. Por exemplo, o catolicismo e o calvinismo são muito diferentes, mas ambos são expressões do cristianismo. O que eles têm em comum são os elementos essenciais acerca da verdade de Cristo conforme ela é resumida no Credo Niceno. Os católicos e os calvinistas não precisam afirmar que são detentores da verdade absoluta (e é melhor que não o façam). Basta que ambos, católicos e calvinistas, façam parte da ampla religião do cristianismo — uma religião que busca interpretar a verdade tal qual é revelada em Cristo. Dentro da religião cristã há espaço para discordâncias sobre como a verdade de Deus revelada em Cristo deve ser interpretada. Como cristãos, não podemos acreditar simplesmente *em qualquer coisa* (por exemplo, que Jesus não é Deus) porque isso no fim acabaria afirmando que o cristianismo *nada é*. Mas dentro dos amplos limites dos credos históricos há muito espaço para uma teologia criativa e um debate rigoroso.

Nós nos complicamos quando deixamos de fazer distinções críticas entre Cristo, a igreja e o cristianismo. Quando juntamos esses três elementos numa única entidade, rapidamente nos metemos em confusão. Verificamos esse problema na popular mas confusa afirmação de que o cristianismo não é uma religião. Se o cristianismo não é uma religião, então o que é? A resposta mais comumente apresentada é o banal gracejo de que o cristianismo é um relacionamento. Mas isso não faz mais do que transformar o cristianismo numa questão privada em que o crente solitário é o único árbitro da verdade, e essa é uma receita para o desastre espiritual. Se quisermos reduzir o risco de desastres dessa natureza, precisamos pensar com mais precisão sobre o que queremos dizer quando falamos em Cristo, a igreja e o cristianismo.

Opondo-se ao aforismo popular, o cristianismo não é um relacionamento; é uma religião. (Embora pudéssemos dizer que o objetivo da religião cristã é o relacionamento com a Santíssima Trindade.) Mas o que queremos dizer com "religião"? Religião é um construto humano que busca entender e encontrar o divino. Sem uma religião compartilhada, cada pessoa tem de inventar sua própria espiritualidade. Isso pode agradar ao indivíduo moderno cujo mantra é "Sou espiritual, mas não religioso", porém o desdém pela tradição religiosa recebida é mais condizente com cada indivíduo que, por conta própria, tem de descobrir a roda e controlar o fogo. Sem uma religião compartilhada, não podemos construir sobre o progresso espiritual conquistado por aqueles que nos precederam. Sem a sabedoria de uma religião sensata, nós nos entregamos à ignorância teológica e à pobreza espiritual. A tradição pode e deve ser constantemente reavaliada, mas a tradição não deveria ser rejeitada sem nenhum questionamento só porque é uma tradição. Precisamos de um equilíbrio sadio entre o desafio e a preservação da tradição. O filósofo polonês Leszek Kolakowski expressa isso desta maneira:

Há duas circunstâncias das quais sempre devemos nos lembrar simultaneamente: Primeira, se as novas gerações não se tivessem continuamente rebelado contra a tradição herdada, ainda estaríamos morando nas cavernas; segunda, se a revolta contra a tradição herdada fosse universal, nós logo estaríamos de volta às cavernas. [...] Uma sociedade na qual a tradição se torna um culto está condenada à estagnação; uma sociedade que tenta viver inteiramente contra a tradição condena-se a si mesma à destruição.[1]

A religião consiste primordialmente em crenças apuradas e práticas tradicionais — crenças acerca do divino e práticas que nos ajudam a encontrar o divino. A Grande Tradição no âmbito do cristianismo consiste nas crenças e práticas que visam nos formar em nossa fé centrada em Jesus. A religião do cristianismo busca as crenças corretas da ortodoxia e as práticas corretas da ortopraxia. Esse é um projeto que requer toda a igreja em sua extensão histórica e abrangência ecumênica — não é algo que possa ser realizado por um único indivíduo em busca de um relacionamento privado com o divino.

Muitas vezes ouvimos dizer que "a religião não nos salva". É claro que não. Ela não foi planejada para isso. Jesus Cristo é a salvação de Deus, não o cristianismo. Jesus Cristo é o salvador do mundo, não alguma religião (nem, inclusive, a religião secular do progressismo). A religião cristã tem um duplo propósito. Primeiro, preservar e transmitir o evangelho de Jesus Cristo. Aqueles dentre nós que têm um relacionamento pessoal com Jesus podem agradecer à religião cristã por tornar isso possível. Sem a religião cristã, Jesus seria quase inteiramente desconhecido — certamente menos conhecido do que seu contemporâneo judeu Fílon de Alexandria. A presença da religião cristã possibilita a fé em

Jesus Cristo para gerações futuras. Segundo, a religião cristã pretende formar pessoas à semelhança de Cristo — esse é o aspecto da ortopraxia do cristianismo. Assim, na religião cristã treinamos as pessoas na oração fornecendo-lhes orações bem-feitas porque o propósito primário da oração não é levar Deus a fazer o que achamos que ele deve fazer; é sermos formados apropriadamente.

O construto seguinte é mais um modo de refletir sobre a distinção entre Cristo, a igreja e o cristianismo.

Deus nos deu Jesus. "Deus amou tanto o mundo que deu seu Filho único" (Jo 3.16). A salvação não deriva do construto humano de religião, mas de Deus. Não podemos nos salvar a nós mesmos; mas podemos cooperar com a salvação de Deus encontrada em Cristo

Jesus nos deu a igreja. A igreja é ideia de Jesus, não nossa. Ele mesmo disse que "sobre esta pedra edificarei *minha* igreja" (Mt 16.18). Antes de impensadamente descartar a necessidade e viabilidade da igreja, devemos lembrar quem a criou.

A igreja criou o cristianismo. É tarefa da igreja estabelecer as crenças e práticas apropriadas que constituem o cristianismo. Mas esse é um projeto em andamento sujeito a alterações. Ao estabelecer como a fé em Cristo deve ser praticada por crentes gentios, o Concílio de Jerusalém por volta do ano 50 d.C. publicou uma carta dizendo: "Pois pareceu ao Espírito santo e a nós..." (At 15.28). A carta então continua estabelecendo algumas normas de ortopraxia para os crentes gentios, inclusive uma proibição contra comer alimentos oferecidos a ídolos. Esse é um exemplo de normas que são fluidas e podem mudar com o tempo. A proibição de comer sangue e carne sacrificados a ídolos pode ter parecido razoável e factível em Jerusalém, mas assim que Paulo chegou ao mundo dos gentios, descobriu que isso não era tão simples como Tiago e os presbíteros de Jerusalém haviam imaginado. Paulo mais tarde escreveu aos gentios de Corinto dizendo: "Portanto, vocês podem comer qualquer carne que é vendida no mercado sem questionar nada por motivo de consciência. Pois 'do Senhor é a terra e tudo que nela há'" (1Co 10.25-26).

Vemos aqui o cristianismo dos primórdios empregando uma teologia criativa a fim de adaptar-se a um contexto cultural, e vemos isso sendo feito no âmbito do cânon do Novo Testamento! Logo no início da religião cristã, consumir sangue e carne sacrificados a ídolos era proibido, mas pouco depois disso essa posição foi repensada e modificada. Há um notável grau de flexibilidade e capacidade de mudança na religião cristã. Entre outras coisas, isso significa que podemos repensar e até modificar o cristianismo sem perder Jesus.

O cristianismo é um projeto em andamento para entender Deus como revelado em Jesus Cristo, mas Jesus não é um prisioneiro do cristianismo. Aquele que desceu aos mortos para tornar cativo o cativeiro não está sujeito a prisão nenhuma! O cristianismo procura entender Cristo, mas não o cria nem o controla. E a liberdade radical de Cristo é tal que pode aparecer em lugares inesperados e de maneiras surpreendentes — até mesmo entre aqueles que o estão tentando controlar para seus próprios fins. Um dos melhores exemplos disso é como Jesus parece ganhar vida e agir por conta própria na obra-prima *Os irmãos Karamázov*, de Fiódor Dostoiévski. No famoso capítulo "O Grande Inquisidor", todos parecem perder o controle de Jesus. Trata-se talvez da mais fascinante passagem nesse fascinante romance.

O Grande Inquisidor

Os irmãos Karamázov é um brilhante romance teológico disfarçado de ficção policial envolvendo um parricídio. Como sugere o título, o romance está primeiramente centrado nos três irmãos Karamázov: Dmitri, o impetuoso oficial militar; Ivan, o intelectual ateu; e Aliócha, o jovem monge noviço. É difícil não sugerir que os três irmãos representam três aspectos da experiência humana: a sensual, a intelectual e a espiritual. (Se incluirmos Smerdiakóv entre os irmãos, podemos adicionar o aspecto demoníaco.) Numa das cenas mais importantes do romance, Ivan, o estudante universitário ateu, convida Aliócha, seu religioso irmão mais novo, para ir com ele a uma taberna onde Ivan procura solapar a fé cristã de Aliócha. Ivan começa seu ataque levantando o problema do mal tal como é constatado no sofrimento de crianças e depois prossegue rumo ao xeque-mate apresentando a Aliócha o que ele denomina seu poema sobre "O Grande Inquisidor."

Em "O Grande Inquisidor", Jesus aparece no século 16 em Sevilha durante a Inquisição espanhola. Em sua parábola, Ivan diz: "Ele apareceu silenciosamente, sem ser notado, mas, coisa estranha de dizer, todos o reconheceram". Em Sevilha, Cristo encabeça uma procissão de gente alegre rumo à catedral enquanto as pessoas gritam: "Hosana!". Chegam exatamente quando uma menina de sete anos está sendo levada num caixão para dentro da catedral para o seu funeral. A mãe tomada pela dor diz: "Se és tu, então ressuscita minha filha!".[2]

A procissão para, o caixão é deposto aos pés dele no pórtico. Ele olha com compaixão e seus lábios mais uma vez dizem: *Talitha cumi* — "e a donzela ressuscitou". A menina ressuscita em seu caixão, senta-se, olha ao redor com olhos arregalados de susto.

Ainda está segurando um ramalhete de rosas brancas com o qual estivera deitada no caixão. Há uma comoção entre as pessoas, gritos, choro, e nesse exato momento o próprio cardeal que é o Grande Inquisidor atravessa a praça em frente à catedral. É um homem idoso, de quase noventa anos, alto e ereto, como um rosto sombrio e olhos afundados nos quais ainda há um brilho semelhante a uma faísca de fogo. [...] Ele olha com irritação, com seu denso sobrolho carregado, e os olhos brilham com um fogo sinistro. Aponta com um dedo e ordena que os guardas o levem. E tal é seu poder, tão dominadas, submissas e trêmulas e obedientes à sua vontade são as pessoas, que a multidão imediatamente se abre diante dos guardas, e eles, em meio ao silêncio mortal que de repente se fez, põem as mãos nele e o levam embora.[3]

Apesar do milagre de ressuscitar a menininha dentre os mortos, Cristo é preso pelo Grande Inquisidor e trancafiado numa cela deprimente. Tarde aquela noite, o homem idoso vem para interrogar o prisioneiro. Embora o prisioneiro nunca fale, o Inquisidor, como todos os demais, sabe quem ele é. Mas, ao contrário dos leigos que exultaram com a chegada dele, o cardeal Grande Inquisidor está enfurecido pelo fato de Cristo ter aparecido em Sevilha e diz: "Então, por que vieste intrometer-te conosco? Pois tu vieste intrometer-te conosco e sabes disso muito bem. Mas sabes o que acontecerá amanhã? [...] Amanhã vou condenar-te e queimar-te na fogueira como o pior dos hereges".[4]

Em seu interrogatório de Cristo o velho cardeal insiste que, em sua primeira vinda, Cristo fez tudo errado. O Inquisidor acusa Cristo por ter feito a escolha errada especialmente em todas as três tentações no deserto. O Inquisidor diz que ele devia ter seguido o conselho apresentado pelo "poderoso e inteligente espírito no deserto" — *devia* ter transformado as pedras em pão; *devia* ter pulado do alto do templo; *devia* ter-se curvado diante "do temível espírito" e tomado a espada de César, pois então teria estabelecido um reino que todos poderiam reconhecer e abraçar.[5] O Inquisidor insiste que ele e aqueles como ele passaram quinze séculos corrigindo os erros de Cristo, dizendo: "Se tivesses aceitado o mundo e a púrpura de César, terias fundado um reino universal e trazido a paz universal. [...] E assim nós tomamos a espada de César, e fazendo isso, obviamente, rejeitamos a ti e seguimos a *ele*".[6] Por sua interferência na ordem estabelecida do cristianismo, o Inquisidor condena Cristo a uma segunda morte.

> Amanhã, repito, verás este humilde rebanho, que ao meu primeiro gesto se apressará a juntar brasas ao redor de tua fogueira, na qual vou queimar-te por teres vindo intrometer-te em nossa obra. Pois se houve alguém que já mereceu nossa fogueira, esse alguém és tu. Amanhã vou queimar-te. *Dixi*.[7]

Em seu amargo cinismo, Ivan retrata o cristianismo como simples tirania e má-fé. (Embora seja improvável que Dostoiévski tenha alguma vez lido Nietzsche, Ivan parece incorporar muitas das ideias nietzschianas — especialmente a ideia do amor cristão como nada mais que "moralidade de escravo".) Na parábola de Ivan, apesar do veredicto do Inquisidor, Cristo não é queimado na fogueira. "O Grande Inquisidor" termina assim:

> Quando o Inquisidor se calou, ele aguardou por algum tempo a resposta do seu prisioneiro. O silêncio deste pesava sobre ele. Havia visto como o cativo o escutou o tempo todo atenta e calmamente, olhando-o direto nos olhos, e aparentemente sem

desejar contradizê-lo em nada. O idoso Inquisidor gostaria que ele dissesse alguma coisa, mesmo alguma coisa amarga, terrível. Mas de repente o prisioneiro se aproxima do idoso em silêncio e gentilmente o beija nos murchos lábios de noventa anos. O idoso estremece. Algo se agita nos cantos de sua boca; ele caminha para a porta, abre-a e diz ao prisioneiro: "Vai embora e não voltes mais aqui... não voltes de modo algum... nunca, jamais!". E o deixa sair nas ruas escuras da cidade. O prisioneiro vai embora.

E o idoso Inquisidor?

O beijo arde em seu coração, mas ele se atém à sua ideia anterior.[8]

No enredo do romance, o motivo de Ivan ao contar a parábola do Grande Inquisidor é solapar a fé cristã de seu irmão. Ivan está insinuando que a igreja, ou pelo menos sua hierarquia, não acredita naquilo que afirma acreditar e que o cardeal e os bispos são, de fato, ateus — ateus religiosos que mantêm as aparências a fim de garantir a ordem social e fornecer às massas paz mental. Em certo ponto em seu fastidioso discurso noite adentro, o Inquisidor diz a Cristo acerca dos milhões que acreditam nos ensinamentos da igreja: "Tranquilos eles vão morrer, tranquilos vão expirar em seu nome e além do sepulcro vão encontrar somente a morte. Mas nós manteremos o segredo".[9] Esse é o golpe de misericórdia de Ivan concebido para acabar de vez com a fé do irmão Alióchca.

Mas o golpe de morte de Ivan não consegue destruir a crença de Alióchca. Por quê? Exatamente por causa daquilo que torna a parábola tão convincente — a presença de Cristo na história. "O Grande Inquisidor" é uma das mais extraordinárias peças escritas em toda a literatura ocidental. Foi estudada e comentada por pensadores, filósofos, teólogos e críticos literários desde seu aparecimento em 1880. Trata-se de um autor de ficção (Dostoiévski) escrevendo uma peça de ficção de um autor fictício. Embora "O Grande Inquisidor" preencha vinte páginas, Cristo nunca é mencionado nominalmente, e Dostoiévski não ousa pôr palavras na boca de Cristo. (A única vez em que Cristo fala na parábola é quando ele diz *"Talitha cumi"* para ressuscitar a menina — uma citação extraída de Marcos 5.41.)

A única ação de Cristo em "O Grande Inquisidor" é o beijo — o beijo que ainda queima no coração do ancião. A meu ver, nessa extraordinária passagem literária, Ivan Karamázov perde o controle de Jesus à medida que ele parece ganhar vida na história e agir de uma maneira que surpreende o Grande Inquisidor, Ivan, Alióscha, o leitor e talvez até o próprio Dostoiévski! Cristo beija seu suposto executor. O que significa o beijo? O beijo não é Cristo abençoando o Grande Inquisidor por sua ideia iníqua; temos a informação de que, *apesar do* beijo que arde no seu coração, "o ancião se atém à sua ideia anterior". O Inquisidor reconhece que o beijo de Cristo tem o poder de mudá-lo, mas ele teimosamente se recusa a mudar.

Cristo não está abençoando o Grande Inquisidor por seu ateísmo e enganos; pelo contrário, Cristo expressa seu amor incondicional pelo ancião perdido na prisão que ele mesmo arquitetou. Não é Cristo que é o prisioneiro no cárcere do Inquisidor; é o próprio Inquisidor. Mas mesmo agora há esperança para o amargo ancião e todos aqueles iguais a ele. Jesus Cristo é o Logos do amor eterno de Deus encarnado. Então, como é que Cristo — mesmo num romance — reage à cruel rejeição e cínica acusação? Com um beijo de amor eterno.

E como reage Alióscha à tentativa de Ivan de zombar de sua fé e até envenená-la? Esta é a melhor parte dessa passagem extraordinária. Durante sua longa conversa na taberna (que se estende por três capítulos), Ivan insistentemente repetiu que "sem Deus tudo é permitido". Ele confessa a seu irmão que pretende viver de acordo com essa fórmula, uma ética sem moralidade. Ivan planeja "afogar-se na depravação" e, aos trinta anos de idade, "devolver seu bilhete" cometendo suicídio. Os dois irmãos escolheram dois caminhos muito diferente. A longa conversa na taberna termina assim:

> Ivan de repente falou com um sentimento inesperado. [...] "A fórmula, 'tudo é permitido', não vou rejeitá-la, e daí? Você vai me rejeitar por isso? Vai?"
> Alióchá levantou-se, aproximou-se dele em silêncio, e gentilmente beijou-o nos lábios.[10]

Essa é toda a resposta. A reação de Alióchá a Ivan imita a reação de Cristo ao Inquisidor — com um beijo de amor incondicional. A única razão pela qual Cristo consegue beijar o ancião na ficção de "O Grande Inquisidor" é que realmente existia e existe um Cristo que ama de modo incondicional e eternamente ora na cruz: "Pai, perdoa-lhes, pois não sabem o que fazem" (Lc 23.34). A inspiração de Alióchá é imitar Cristo — que é o que significa ser cristão.

E como fica o Grande Inquisidor? O ancião está perdido, mas não condenado. O beijo ainda arde em seu coração, e ali está a esperança de salvação. Tudo o que ele precisa fazer é voltar-se para o calor do amor incondicional; assim ele começará a descobrir sua saída da câmara de gelo de seu autoimposto inferno. Dostoiévski introduz essa ideia mais tarde no romance quando o ancião Zossima — resposta de Dostoiévski ao argumento de Ivan rejeitando a fé — diz: "Eu me pergunto: 'O que é o inferno?' E respondo assim: 'É o sofrimento de já não ser capaz de amar'".[11] E qual é a saída do inferno? Voltar-se para aquele que, cheio de compaixão, beija os pecadores em seu pecado e receber dele um amor incondicional. Deus condena ateus ferrenhos e apóstatas rancorosos? Não, ele os beija e aguarda pacientemente que o coração deles se amoleça.

Em *Os irmãos Karamázov*, nós vemos Ivan, e talvez até mesmo Dostoiévski, perdendo o controle de Jesus quando ele transcende o controle da narrativa e age de acordo com sua natureza de amor incondicional. O que acontece, porém, se nós temermos ter perdido não apenas o controle de Jesus, mas também o próprio Jesus em si? Não desanime, a história não terminou. Muitas vezes, quando temos a impressão de que perdemos Jesus, estamos de fato no processo de *redescobri-lo*.

As perdas de Maria

Durante os anos entre sua infância e o início de seu ministério, não sabemos praticamente nada sobre a vida de Jesus. O que aconteceu durante esses "anos ausentes"? Ao contrário do que sugerem estabanadas especulações de livros e documentários sensacionalistas, Jesus não foi para a Índia estudar budismo ou para Alexandria estudar filosofia grega. Ele viveu e trabalhou em Nazaré, discretamente exercendo seu ofício no campo da construção e fielmente praticando sua religião como devoto judeu. Jesus não viveu como um investigador asceta perambulando por terras estrangeiras; viveu em Nazaré como um humilde carpinteiro praticando sua religião. Não temos muitas notícias sobre os trinta anos ausentes porque não há muita coisa para contar. Ele cresceu, exercendo seu ofício durante seis dias por semana e frequentando a sinagoga aos sábados. Mas há uma história digna de nota.

Como parte de uma comunidade religiosa, a família de Jesus observava o sábado, frequentava a sinagoga e celebrava as festas judaicas. Todos os anos José e Maria, com sua família estendida e amigos, faziam uma peregrinação de cinco dias para Jerusalém a fim de celebrar a Páscoa. Era o maior e o mais esperado acontecimento do ano. Jesus havia participado da Páscoa desde os tempos de bebê de colo, mas quando contava doze anos, prestes a ser considerado um adulto, algo extraordinário aconteceu. Em algum momento durante os festejos, Jesus foi ao templo, começou a fazer perguntas aos mais entendidos, e lá ficou por três dias! O grupo de peregrinos de Nazaré já havia deixado Jerusalém, e um dia inteiro se passara antes que Maria percebesse que Jesus não estava na caravana. Podemos imaginar a conversa: "José, você viu Jesus?", ao que José responde: "Não, eu achava que ele estava com você". Esse foi o momento *Esqueceram de mim* de José e Maria. Em pânico, o casal volta correndo para Jerusalém à procura de seu filho perdido. Só foi no terceiro dia que finalmente o encontraram no templo, calmamente sentado e discutindo as Escrituras com os entendidos. Num turbilhão de emoções que todos os pais e mães conhecem bem, Maria foi do pânico ao alívio, à indignação. "Quando o viram, seus pais ficaram perplexos. Sua mãe lhe disse: 'Filho, por que você fez isso conosco? Seu pai e eu estávamos aflitos, procurando você por toda parte'" (Lc 2.48).

Imagino que todos entendemos o sentimento de Maria. Garotos de doze anos não têm permissão para sair por aí e sumir durante três dias sem avisar ninguém. Mas esse não é um garoto qualquer; é a Palavra na meninice; é o Logos na adolescência. É desconcertante que Jesus seja tão *blasé* e não peça desculpas por seu procedimento. Se algum outro garoto agisse dessa maneira, consideraríamos sua atitude uma insuportável arrogância. Jesus não diz: "Peço desculpas, mãe. Eu devia ter imaginado como meu procedimento iria preocupar vocês". O que ele de fato diz são as primeiras palavras registradas de Cristo: "Mas por que me procuravam?", perguntou ele. "Não sabiam que eu devia estar na casa de meu Pai?" (Lc 2.49). Essas não são palavras fáceis de aceitar e entender — e Maria e José *não* as entenderam. Lucas nos diz claramente: "Não entenderam, porém, o que ele quis dizer" (Lc 2.50). E essa não seria a última vez que as pessoas acharam difícil entender as palavras e ações de Jesus.

Muitas vezes a primeira impressão que Jesus causa em nós é de desorientação, pois ele constantemente nos força a questionar nossos pressupostos. Esse estranho episódio da adolescência de Jesus é uma história sobre perder Jesus. Maria havia concebido Jesus e o dado à luz, havia amamentado e criado esse garoto, e ela o conhecia melhor do que qualquer outro ser humano. Depois perdeu Jesus. Após três dias de angustiante procura, ela o encontrou de novo, mas ele estava diferente. E Maria foi obrigada a reavaliar o que julgava saber acerca de Jesus. Lucas termina a história dizendo-nos que "sua mãe guardava todas essas coisas no coração" (Lc 2.51).

Cerca de vinte anos depois, Maria perdeu Jesus de novo. Completados trinta anos, Jesus deixou Nazaré para ouvir seu primo João Batista pregar na Judeia. Depois de ser batizado, Jesus, sem que ninguém percebesse, foi para o deserto para quarenta dias de oração e jejum. Quando finalmente voltou para a Galileia, ele não foi para Nazaré nem retomou seu ofício de carpinteiro; em vez disso, começou a pregar o reino de Deus de aldeia em aldeia. O que pensou a família dele sobre essa sua nova vocação? Marcos nos diz o seguinte:

"Quando os familiares de Jesus souberam o que estava acontecendo, tentaram impedi-lo de continuar. 'Está fora de si', diziam" (Mc 3.21). Obviamente, a família de Jesus não estava preparada para vê-lo abandonar o ofício da família e tornar-se um profeta itinerante. Por isso foram procurá-lo. Quando finalmente o encontraram em Cafarnaum, ele estava falando sobre o reino de Deus numa casa cheia de gente.

> Então a mãe e os irmãos de Jesus foram vê-lo. Ficaram do lado de fora e mandaram alguém avisá-lo para sair e falar com eles. Havia muitas pessoas sentadas ao seu redor, e alguém disse: "Sua mãe e seus irmãos estão lá fora e o procuram".
> Jesus respondeu: "Quem é minha mãe? Quem são meus irmãos?". Então olhou para aqueles que estavam ao seu redor e disse: "Vejam, estes são minha mãe e meus irmãos. Quem faz a vontade de Deus é meu irmão, minha irmã e minha mãe".
>
> Marcos 3.31-35

Pela segunda vez, Maria havia perdido Jesus. E depois de procurar por ele, ela o encontrou em Cafarnaum. Em Jerusalém, um Jesus de doze anos de idade disse à sua mãe que ele precisava estar na casa de seu Pai. Agora, em Cafarnaum, Jesus é um jovem adulto que diz à sua mãe que a verdadeira família dele é definida por algo diferente dos laços sanguíneos. Cada vez que Maria perdeu Jesus, ela o encontrou de novo mas teve de repensá-lo. Ela perderia Jesus mais uma vez — de novo por três dias em Jerusalém. Maria perderia Jesus na Sexta-Feira Santa e o encontraria de novo no Domingo de Páscoa. Depois disso, ela teria de repensar Jesus no sentido supremo.

Perder Jesus. Encontrar Jesus. Repensar Jesus. Essa é a única maneira de progredir espiritualmente. Bem na hora em que pensamos que conseguimos entender Jesus, ele desaparece. Podemos temer que o perdemos. Todavia, se o procuramos, vamos encontrá-lo. Mas na redescoberta teremos de repensar algumas coisas. E aí está o significado do arrependimento — repensar as coisas à luz de Cristo.

Durante muitas décadas em que procurei viver como seguidor de Jesus, vivi a experiência de perdê-lo várias vezes. Geralmente foi algo como a experiência de Maria e José, que de repente perceberam que não conseguiam encontrar Jesus na caravana em que ele estava. Pode ser muito angustiante perceber que já não consegue achar Jesus no movimento do qual você faz parte. Conheci Jesus pela primeira vez no Movimento de Jesus e depois no movimento carismático. Mas chegou um dia em que eu já não conseguia encontrá-lo lá. Eu tinha duas opções: fingir que estava tudo bem ou buscar redescobrir Jesus. A busca pode ser desgastante, mas esse é o padrão inevitável do crescimento espiritual. Nós temos Jesus. Nós perdemos Jesus. Nós procuramos Jesus. Nós encontramos Jesus. Nós repensamos Jesus. Nós crescemos. Eu não imagino que possa ser de outra maneira. Craig Barnes diz:

> O grande medo por trás de cada perda é que nós tenhamos sido abandonados pelo Deus que deveria nos salvar. O momento transformador na conversão cristã acontece quando percebemos que até Deus nos deixou. Então descobrimos que não foi Deus, mas foi nossa imagem de Deus que nos abandonou. Isso nos liberta para descobrir mais do que sabemos sobre o mistério de Deus. Só então a mudança é possível.[12]

Os ídolos não mudam. Você sempre os acha onde os deixou. Mas o Deus vivente de vez em quando se esconderá dos limites conhecidos. Nunca podemos nos aposentar de nosso papel de investigadores. Então, se você tiver a impressão de ter perdido Jesus, não desista; continue procurando. Procure-o nos lugares onde Maria o encontrou. Procure-o no templo — o novo templo feito de pedras vivas. Procure-o nas casas onde as pessoas se reúnem para ouvir falar sobre o reino de Deus. Procure-o nos movimentos novos, se for preciso. Há inúmeras outras pessoas que passaram por experiências semelhantes de perder Jesus por um tempo. Às vezes precisamos nos deixar levar pela fé alheia. Se nossa fé está paralisada, podemos ser como o homem que foi baixado em sua cama por entre as telhas para a presença de Jesus por seus amigos. Quando você não pode depender de sua própria fé, confie na fé de seus amigos (ver Lc 5.17-26). Procure Jesus nos evangelhos. Não tente sentir Jesus ou imaginá-lo. Simplesmente observe o que ele faz e ouça o que ele diz nas histórias do evangelho. Conheço uma famosa líder cristã que, durante crises espirituais, não conseguia ler nenhuma parte da Bíblia que não fossem os evangelhos. Esse era um instinto sadio, e no fim ela conseguia redescobrir Jesus numa forma nova.

    A sensação de ser abandonado por Deus, de perder Jesus, tudo isso faz parte da longa jornada espiritual. O místico espanhol do século 16 João da Cruz a descreveu como a noite escura da alma. São tempos de provação, quando Deus joga um ardiloso jogo de esconde-esconde. Mas tudo isso visa nos tirar de nossa espiritualidade confortável e nos expor ao difícil caminho de uma busca séria. Cristo é encontrado por aqueles que o procuram, não por aqueles que o pressupõem. Ser perturbado e levado a agir pela aparente ausência de

Jesus é muito melhor do que entregar-se à doença espiritual de estar confortavelmente entorpecido.

> Peçam, e receberão. Procurem, e encontrarão. Batam, e a porta lhes será aberta. Pois todos que pedem, recebem. Todos que procuram, encontram. E, para todos que batem, a porta é aberta.
>
> Mateus 7.7-8

6
A noite escura do desconhecer

....

Deus chamou a luz de "dia" e a escuridão de "noite".
A noite passou e veio a manhã, encerrando o primeiro dia.

GÊNESIS 1.5

Em Gênesis, o novo dia não começa ao nascer do sol ou à meia-noite; começa ao pôr do sol. Refletindo isso, o sábado judaico não começa ao nascer do sol do sábado, mas ao anoitecer de sexta-feira. Cada novo dia começa com uma nova escuridão. O estado novo não é anunciado pelo nascer do sol, mas pela envolvente escuridão. Isso é contraintuitivo. O novo dia não começa com a capacidade de enxergar, o novo dia começa com a *incapacidade* de enxergar. O estado novo nasce da qualidade do nada. Deus cria *ex nihilo*. A escuridão é a tela para a nova luz da criação.

Em nossa peregrinação pela vida, as noites escuras vêm antes das novas auroras. Essa é uma notícia boa para uma alma atribulada tateando numa escuridão infernal. Uma noite escura da alma não é necessariamente o fim de uma jornada de fé, mas pode ser o começo de uma nova jornada que leva ao aprofundamento no mistério de Deus. Muitas vezes nosso progresso espiritual não começa com um dia de novo conhecimento, como tendemos a pensar, mas com uma noite escura de desconhecimento. Agarrar-se ferrenhamente à certeza de que já temos as respostas impede o progresso. Não se atinge o progresso espiritual com uma fórmula de conhecimento + conhecimento + conhecimento. Apesar do que podemos supor, o progresso espiritual não é o resultado de uma soma infinita. O progresso espiritual também requer a subtração. O progresso espiritual não consiste no conhecer, conhecer, conhecer; o progresso espiritual mais frequentemente consiste num conhecer, *des*conhecer, *novo* conhecer. O sol não nasce incessantemente; o sol também se põe. Em nossa longa jornada penetrando o mistério de Deus, a experiência do progresso é geralmente assim: luz do dia... noite escura... nova aurora.

Um dos primeiros arquétipos do desenvolvimento espiritual nas Escrituras é a história de Abraão — o pai da fé. Abraão é um homem definido pela fé porque estava disposto a aventurar-se para o desconhecido. Quando Abraão foi chamado por Deus para empreender uma viagem, o autor de Hebreus nos diz: "Ele partiu sem saber para onde ia" (Hb 11.8). Sua jornada de fé começou como uma jornada para a noite escura do desconhecer. O Deus vivo estava conduzindo Abraão para algo totalmente novo porque era uma jornada inteiramente desconhecida. A jornada de Abraão de Ur para Canaã constitui um episódio fundamental na história da salvação narrada na Bíblia. Também representa um movimento novo na história de Gênesis. Até Abraão, todas as jornadas em Gênesis são jornadas para o leste e para longe de Deus.

> Depois de expulsá-los, [Deus] colocou querubins a *leste* do jardim do Éden e uma espada flamejante que se movia de um lado para o outro, a fim de guardar o caminho até a árvore da vida.
>
> Gênesis 3.24

> Caim saiu da presença do SENHOR e se estabeleceu na terra de Node, a *leste* do Éden.
>
> Gênesis 4.16
>
> Os homens deslocaram-se para o *oriente* e acharam um vale na terra de Sinar; e passaram a habitar ali.
>
> Gênesis 11.2, A21

Quer se trate de Adão expulso do Éden ou de Caim fugindo da presença divina ou do mundo pós-diluviano procurando um lugar para construir a torre de Babel, a migração vai sempre rumo ao leste e sempre se afastando de Deus. A história é narrada em Gênesis: o mundo a leste do Éden — a terra de Node e as planícies de Sinar — é o mundo da idolatria. Mas depois Deus intervém intimando um idólatra da cidade babilônica de Ur a deixar os antigos deuses e passar a viver uma nova vida numa nova terra. Quando Abraão responde pela fé ao chamado de Deus e empreende a jornada para a terra de Canaã, é uma migração numa direção nova — para o oeste. *Vá para o oeste, meu velho*. Mas uma jornada para o oeste é uma jornada rumo à terra do sol poente — é uma jornada rumo à escuridão. Esse é o padrão contraintuitivo de Gênesis. Uma jornada rumo à luz é primeiro uma jornada rumo à noite escura do desconhecido. É óbvio que nós, instintivamente, tememos a escuridão. Assim, podemos nos recusar a prosseguir nessa jornada.

Podemos preferir permanecer onde estamos, permanecer com o que conhecemos e fingir que estamos contentes. A complacência, e não a dúvida, é o maior inimigo do desenvolvimento espiritual. Abraão se torna o pai da fé porque se mostrou disposto a ser guiado para além dos confortáveis limites da idólatra Ur, onde Deus é profundamente mal compreendido. Ur não é nossa verdadeira casa; Ur é apenas onde nascemos. Nossa casa é um lugar distante de onde nascemos. A história da salvação em nossa vida é a história de encontrar nosso caminho para a casa do amor do Pai.

No romance de fantasia *Lilith*, de George MacDonald, o personagem central, o Sr. Catavento, encontra o misterioso Sr. Corvo — um guia espiritual que às vezes aparece como um corvo e outras vezes como um velho bibliotecário. O Sr. Corvo aproxima-se do Sr. Catavento para guiá-lo para outro mundo numa jornada de salvação de sua alma. Mas o Sr. Catavento está com receio de empreender essa estranha jornada. Na segunda vez que o Sr. Corvo vem visitar o Sr. Catavento em sua casa, a conversa deles se desenrola assim:

"Agora devemos partir!", disse o corvo, e encaminhou-se para o pórtico.

"Partir para onde?", perguntei.

"Partir para onde temos de ir", respondeu. "Você certamente não achou que havia chegado em casa. Eu lhe disse que não era possível sair e entrar à vontade até que você estivesse em casa!"

"Eu não quero ir", afirmei.

"Isso não faz nenhuma diferença — pelo menos não muita", respondeu. "Este é o caminho!"

"Estou muito satisfeito aqui onde estou."

"Você acha isso, mas não está. Vamos indo."[1]

O sábio Sr. Corvo sabe que a verdadeira casa do Sr. Catavento era um lugar onde ele ainda não havia estado. Pensamos que estamos satisfeitos com nossa certeza estabelecida porque não sabemos o que não sabemos. Nossa ignorância é uma felicidade. Nossa satisfação é uma anestesia. Estamos satisfeitos com nossa vida em Ur, cheia de ídolos e conceitos errados acerca de Deus, porque nunca estivemos noutro lugar e não conhecemos nenhuma outra coisa. Assim, Deus em sua misericórdia nos envia um Sr. Corvo — um guia para nos ajudar a descobrir nossa casa, um lugar ainda desconhecido. Todos nós precisamos empreender uma jornada espiritual porque todos nascemos muito longe de casa. Às vezes, a jornada para casa nos leva através de lugares escuros, mas isso não significa que estamos perdidos.

> Às vezes o melhor mapa não vai guiar você
> Não dá para ver o que vem depois da curva
> Às vezes a estrada passa por lugares escuros
> Às vezes a escuridão é sua amiga turva.[2]

Caminhar pela noite escura do desconhecer (que alguns chamam de desconstrução) não significa que você está no caminho errado ou se perdeu, embora possa parecer isso. Achamos que nossa convicção está certa porque parece certa, mas está errada — ela é uma falsa sensação de segurança que nos embala numa letargia espiritual. É por isso que Deus nos envia um Sr. Corvo para nos dizer: "Você pensa que está satisfeito, mas não está. Vamos indo". Como o Sr. Corvo em *Lilith*, nosso corvo pode apresentar-se de formas diferentes — um amigo, um livro, uma pergunta incômoda, um mal-estar crescente, uma tragédia, um período de profundo sofrimento. Finalmente começamos a nos mover e logo nos apanhamos na estrada longe da casa que era nossa casa, em busca de uma casa onde nunca estivemos antes. Inevitavelmente, a estrada às vezes passa por lugares escuros, e começamos a duvidar se algum dia chegaremos em casa. Pensamentos perturbadores surgem sem serem convidados.

Pensamentos como: "Eu já não tenho certeza", "Não estou nada confiante", "Não sei o que estou fazendo", "Não sei para onde estou indo", "Não sei aonde tudo isso vai dar". Esses são pensamentos normais que podem surgir numa alma que está genuinamente progredindo espiritualmente através da escuridão do espírito. "A noite passou e veio a manhã, encerrando o primeiro dia." O novo dia do conhecer é precedido pela noite escura do desconhecer.

Desconhecer pode ter dois significados — *não* conhecer e *des*conhecer. Há coisas que não conhecemos e precisamos aprender. E há coisas que julgamos conhecer e precisamos reaprender. A jornada do desconhecer de Abraão disse respeito principalmente ao não conhecer. "Pela fé, Abraão [...] partiu sem saber para onde ia" (Hb 11.8). Mas há uma jornada do desconhecer que gira principalmente em torno do *des*conhecer ou *des*aprender. Não é o aprender que é difícil, mas sim o desaprender. Na primeira metade da vida, tendemos a pensar que, para progredir espiritualmente, não precisamos mais do que uma adição positiva. Simplesmente aprender mais alguma coisa relacionada com Deus. Mas, na segunda metade da vida, o progresso espiritual é mais frequentemente conseguido através do processo apofático da negação. Começamos a aprender sobre Deus dando-nos conta de como sabemos pouco sobre Deus. Se a noite escura do não conhecer de Abraão tinha a ver com o *não* conhecer, a noite escura do desconhecer de Paulo tinha a ver com o *des*-conhecer.

Ofuscados pela luz

Paulo de Tarso era um estudioso da Bíblia, um fariseu devoto e, como são os fariseus em sua maioria, um zeloso praticante da certeza religiosa. Seu zelo foi manifestado em sua incessante perseguição do Caminho — uma nova seita judaica que proclamava que Jesus de Nazaré, um galileu crucificado, era o Messias de Israel. Saulo dedicou suas formidáveis habilidades de erudição e debate para opor-se a essa seita. Saulo *sabia* que Jesus de Nazaré não podia ser o Messias porque a Bíblia dizia isso. Saulo podia prová-lo citando capítulo e versículo. Deuteronômio 21.23 diz que "todo aquele que é pendurado é maldito aos olhos de Deus". Jesus de Nazaré foi pendurado numa cruz; portanto, ele não pode ser o Messias. Questão provada. Debate encerrado. Saulo tinha certeza de que a Bíblia *provava* que Jesus não era o Messias. Isso era claro como a luz do dia. E alguma coisa tinha de ser feita com os hereges que afirmavam ser Jesus o Messias.

Anos mais tarde, Saulo — agora conhecido como o apóstolo Paulo — explicou ao rei Agripa seu violento zelo contra os cristãos desta forma:

> Eu costumava pensar que era minha obrigação empenhar-me em me opor ao nome de Jesus, o nazareno. Foi exatamente o que fiz em Jerusalém. Com autorização dos principais sacerdotes, fui responsável pela prisão de muitos dentre o povo santo. E eu votava contra eles quando eram condenados à morte. Muitas vezes providenciei que fossem castigados nas sinagogas, a fim de obrigá-los a blasfemar. Eu me opunha a eles com tanta violência que os perseguia até em cidades estrangeiras.
>
> Atos 26.9-11

Saulo estava furiosamente indignado porque tinha certeza de que estava certo e os cristãos estavam errados. A certeza bíblica foi a droga que determinou a escolha desse jovem fariseu, mas só o fez tornar-se mais vil. A certeza pode ser a incubadora da crueldade. A infalibilidade convicta pode levar à brutalidade.

Alexander Soljenítsin foi um dos mais importantes escritores cristãos do século 20, mas antes de sua conversão ele era um ateu convicto e zeloso comunista. Em *O arquipélago Gulag*, Soljenítsin escreve sobre sua arrogância juvenil e sobre como sua conversão foi ao seu encontro quando ele estava preso num gulag soviético:

> Intoxicado com o sucesso juvenil, eu me sentia infalível e, consequentemente, era cruel. Nos meus piores momentos, estava convencido de que estava me saindo bem, e estava bem provido de argumentos sistemáticos. Foi só quando me vi deitado sobre uma esteira podre de um cárcere que senti dentro de mim os primeiros impulsos do bem. Gradativamente, foi-me revelado que a linha separando o bem do mal não atravessa estados, nem classes, nem partidos políticos — mas atravessa precisamente cada coração humano e todos os corações humanos. A linha muda. Dentro de nós, ela oscila com o passar dos anos. É impossível expulsar o mal do mundo em sua totalidade, mas é possível comprimi-lo dentro de cada pessoa. E é por isso que volto aos anos de minha prisão e digo, às vezes para assombro dos que me cercam: *"Abençoada sejas tu, prisão!"*. Ali minha alma foi nutrida, e eu digo isto sem hesitar: *"Abençoada sejas tu, prisão*, por teres existido em minha vida".[3]

Em sua juventude, Saulo de Tarso e Alexander Soljenítsin foram parecidos — os dois se sentiam infalíveis e, portanto, foram cruéis. A certeza se manifestou em pura e simples crueldade. Saulo saqueou sinagogas em busca de hereges. Acuava adeptos do Caminho e os aprisionava. Presidiu o apedrejamento de Estêvão, o primeiro mártir cristão. Depois de praticar o máximo estrago possível em Jerusalém, obteve dos principais sacerdotes judeus a permissão de caçar hereges em Damasco. Munido de mandados de prisão e acalentando ameaças de assassinato, Saulo marchou com planos cruéis para Damasco.

É uma caminhada que requer no mínimo uma semana de Jerusalém até Damasco. E, embora o famoso quadro de Caravaggio pinte Saulo com um cavalo, ele provavelmente foi a pé. Participei de algumas peregrinações prolongadas e aqui está o que sei sobre caminhadas longas: são experiências que proporcionam tempo para refletir. E se há uma coisa que se pode dizer de Saulo é que ele era um pensador. Todo inflamado, Saulo deixou Jerusalém e dirigiu-se para Damasco "respirando ainda ameaças e morte" (At. 9.1). Mas uma longa caminhada tem o poder de nos arrastar para um estado mais contemplativo. O que estava pensando Saulo? Ele estava pensando sobre Jesus de Nazaré e sobre a absurda alegação de alguns de que esse galileu crucificado era o Messias ressuscitado. Estava pensando sobre como ele *sabia* que aquilo não podia ser verdade porque Deuteronômio afirma que um homem crucificado é amaldiçoado por Deus. Mas...

Será que outros pensamentos começaram a interferir na certeza de Saulo? É óbvio que não podemos realmente saber, mas o que de fato sabemos é que Saulo tinha um *entendimento* profundo do texto bíblico. Será que ele começou a cismar sobre o salmo 22, no qual Davi diz: "perfuraram minhas mãos e meus pés" (Sl 22.16)? Será que Saulo pensou: "As mãos e os pés de Davi nunca foram perfurados — de quem será que ele estava falando?" Será que Saulo cismou sobre o que Isaías quis dizer ao declarar sobre o Servo messiânico:

Pensamos que seu sofrimento era castigo de Deus,
   castigo por sua culpa.
Mas ele foi ferido por causa de nossa rebeldia
   e esmagado por causa de nossos pecados.

Isaías 53.4-5

Não sabemos, mas para mim é difícil acreditar que, durante sua longa caminhada, alguns desses pensamentos não tenham surgido na mente de um estudioso das Escrituras como Saulo. O material combustível para uma explosão espiritual já estava presente em sua mente, e só faltava uma faísca para incendiá-lo. Não sabemos exatamente em que Saulo estava pensando à medida que se aproximava de Damasco, mas sabemos que, já perto do fim de sua longa caminhada, de repente uma luz do céu brilhou ao redor dele, que caiu no chão e ouviu uma voz dizer: "Saulo, Saulo, por que você me persegue?". E um Saulo atônito perguntou: "Quem és tu, Senhor?" (At 9.4-5).

Quando Saulo perguntou à Voz vindo da luz "Quem és tu, Senhor?", ele não perguntou "Quem és tu, senhor [sir]?", mas "Quem és tu, Senhor [Lord]?". Senhor (kyrios) era a palavra que um piedoso judeu falante do grego empregava para referir-se ao eterno "Eu Sou" que mora na luz inacessível e cujo nome é imencionável. Saulo sabe que aquele que falou com ele a partir de uma luz mais brilhante que o sol deve ser o mesmo que Ezequiel encontrou quando disse: "Os céus se abriram e tive visões de Deus. [...] No trono, bem no alto, havia uma figura semelhante a um homem. [...] Quando a vi [a aparência da glória do SENHOR], prostrei-me com o rosto no chão e ouvi a voz de alguém que falava comigo" (Ez 1.1,26,28).

A manifestação divina com que Ezequiel deparou junto ao rio Quebar é a mesma com que deparou Saulo na estrada para Damasco. Saulo sabe que, como Ezequiel, ele está experimentando uma visão do Senhor Deus, mas ousa perguntar: "Quem és tu?". A resposta provindo da luz não apenas mudou a vida de Saulo, mas também em última análise mudaria o mundo: "Sou Jesus, a quem você persegue!" (At 9.5). Como podemos começar a medir o impacto que isso deve ter tido num fariseu absolutamente confiante como Saulo de Tarso? Em *Paulo: Uma biografia*, N. T. Wright imagina Saulo na estrada de Damasco enxergando a mesma gloriosa figura vista por Ezequiel cinco séculos antes:

> Saulo de Tarso, a cabeça cheia das Escrituras, o coração cheio de zelo, ergue lentamente os olhos para o alto mais uma vez. Agora ele está enxergando, de olhos bem abertos, consciente de estar bem acordado, mas também consciente de que parece haver uma fissura na realidade, uma fissura no tecido do cosmos, e consciente de que seus olhos despertos estão enxergando coisas tão perigosas que, se ele não estivesse tão preparado, tão purificado, se não fosse tão diligentemente devoto, nunca teria ousado chegar até este ponto. De novo para o alto, do peito até o rosto, Saulo ergue os olhos para ver aquele que ele adorou e serviu a vida inteira. [...] E depara face a face com Jesus de Nazaré.[4]

Saulo tinha visto a Luz e tinha ficado cego. Lucas nos diz: "Saulo levantou-se do chão, mas, ao abrir os olhos, estava cego. Então o conduziram pela mão até Damasco" (At 9.8). Saulo viu a verdade num jato de luz ofuscante e foi lançado na escuridão total. Saulo havia passado do pleno meio-dia da certeza para a escura noite do desconhecer. Saulo já não podia pavonear-se com passadas prepotentes e ameaçadoras; só conseguia locomover-se arrastando os pés, com os passos incertos de um homem que de repente ficou cego. Em vez de marchar pela estrada com sua arrogante confiança, Saulo tateia nas trevas, precisando de alguém que o conduza pela mão. Finalmente Saulo estava progredindo.

Num ofuscante momento de revelação divina, Saulo soube que Jesus era o Senhor — e não sabia nada mais que isso. Saulo havia entrado em sua noturna negação, sua noite escura do desconhecer. Saulo tinha sido o sabe-tudo de Bíblia em Jerusalém — conhecia sua Bíblia e tinha todas as respostas. Mas agora ele não sabia de nada, a não ser que aquele que havia encontrado como Deus na estrada de Damasco era Jesus. A dissonância cognitiva causada por essa verdade era extrema ao máximo. "Lá [em Damasco] ele permaneceu, cego, por três dias, e não comeu nem bebeu coisa alguma" (At 9.9). Mais do que jejuando, Saulo estava demasiado atônito para comer ou beber.

Tudo aquilo que havia julgado saber ele agora tinha de repensar à luz da única verdade solitária que acalentava: Jesus é Deus. O mundo teológico de Saulo havia sido de repente desconstruído por inteiro. Sua confiante certeza construída vaporizou-se no momento em que a Voz falou em meio ao clarão ofuscante dizendo: "Eu sou Jesus". Agora Saulo não enxerga nada. Está cego. Não sabe nada. Nada faz sentido. Isso não é a conversão de Saulo, mas sim sua devastadora desconstrução. Seu radical desaprender. A casa teológica de Saulo não foi reformada, mas demolida até o chão. O que faz então Saulo durante seus três dias de total escuridão? Lucas nos diz que ele orava. Que oração fazia ele? Tenho certeza de que orava o Shemá — a oração essencial do povo judeu.

Sh'má Yisrael Adonai Eloheinu Adonai Echad.
"Ouça, ó Israel! O SENHOR, nosso Deus, o SENHOR é único! Ame o SENHOR, seu Deus, de todo o seu coração, de toda a sua alma e de toda a sua força."

Deuteronômio 6.4-5

Em sua noite escura do desconhecer, Saulo está desconstruindo tudo até sobrar apenas o único grande fundamento do Shemá. Saulo já não sabe tudo. Tudo o que ele agora sabe é que Jesus lhe foi revelado como o Deus único. E ele sabe que deve amar o Deus único de todo coração. Mas à luz ofuscante de Cristo que o levou para a escuridão absoluta ele tem de repensar tudo. *Ouça, Israel.* Mas o que significa ser Israel? *O SENHOR é nosso Deus.* Mas o que significa que Jesus de Nazaré é o Deus de Israel? *Ame o SENHOR, seu Deus.* Mas como? Seu zeloso amor a Deus o trouxe para Damasco com ódio no coração e a intenção de despejar violência sobre a igreja de lá. Sim, Saulo agora tinha de repensar tudo. Naturalmente, como estudioso da Torá, Saulo conhecia o outro grande mandamento: "cada um ame o seu próximo como a si mesmo" (Lv 19.18).

Enquanto Saulo está passando por sua noite escura da desconstrução, submetido a orar a primeira oração aprendida na infância, ouvem-se batidas na porta. Era Ananias — um dos cristãos judeus de Damasco. Jesus havia aparecido a Ananias numa visão e o instruído para procurar Saulo, impor suas mãos sobre ele, curá-lo e batizá-lo.

Ananias foi e encontrou Saulo. Ao impor as mãos sobre ele, disse: "Irmão Saulo, o Senhor Jesus, que lhe apareceu no caminho para cá, me enviou para que você volte a enxergar e fique cheio do Espírito Santo". No mesmo instante, algo semelhante a escamas caiu dos olhos de Saulo, e sua visão foi restaurada. Então ele se levantou, foi batizado e, depois de comer, recuperou as forças.

Atos 9.17-19

Foi só depois que as escamas caíram de seus olhos que Saulo experimentou a conversão plena; foi só depois que as escamas caíram de seus olhos que Saulo foi batizado. Quando as escamas caíram de seus olhos? Quando Ananias se dirige a ele chamando-o de "Irmão Saulo". Nesse momento, tudo se encaixa. Jesus é a revelação de Deus — um Deus de amor. E amar Deus de todo o coração é amar o próximo como a si mesmo. Tudo se encaixa quando Ananias chama Saulo — que tinha vindo de Damasco para prejudicar pessoas como Ananias — de "irmão". Saulo tinha pensado que poderia provar sua lealdade a Deus com seu zelo violento, mas agora ele entende que a lealdade a Deus só pode ser provada por meio do amor. Muito mais tarde o apóstolo Paulo vai escrever uma grande ode ao amor que nós conhecemos como 1Coríntios 13, mas foi em Damasco que ele primeiro viu a supremacia do amor quando as escamas caíram de seus olhos. Paulo havia pensado que sabia tudo. Depois, de repente, soube que não sabia nada. E agora havia começado a conhecer a maior de todas as verdades: Deus é amor. A noite escura do desconhecer o levou à aurora do conhecer tudo de novo à luz de Cristo.

Paulo havia entrado num novo dia e estava adiantado em seu caminho rumo ao entendimento de que o amor é maior que o conhecimento, maior que a doutrina, maior que o zelo, maior que todas as coisas. Paulo fora outrora tão orgulhoso de seu conhecimento, sua doutrina, seu zelo, mas tudo isso agora mudou. Se nós pensamos que a doutrina é mais importante que o amor, já temos uma doutrina ruim. Paulo acabaria escrevendo: "Três coisas, na verdade, permanecerão: a fé, a esperança e o amor, e a maior delas é o amor" (1Co 13.13). A conversão de Paulo não foi do judaísmo para o cristianismo — Paulo não a teria visto dessa maneira. A conversão de Paulo foi do zelo da violência religiosa para a lealdade do amor empático. Paulo se converteu da violência para a não violência.

Uma das coisas que Jesus disse a respeito de Paulo por ocasião de sua conversão foi: "E eu mostrarei a ele quanto deve sofrer por meu nome" (At 9.16). Paulo passaria a suportar o sofrimento por amor a seu Deus, mas nunca mais imporia o sofrimento em nome de Deus. Paulo tinha vindo a Damasco para perseguir violentamente Ananias em nome de Deus. Mas agora ele se senta à mesa com Ananias compartilhando a primeira refeição de sua nova vida. É um banquete de amor. As escamas realmente caíram de seus olhos. Se alguém consegue captar a profundidade do imortal hino de John Newton, esse alguém é Paulo.

> Oh! graça sublime do Senhor,
> Perdido me achou;
> Estando cego, me fez ver,
> Da morte me salvou.

Na estrada de Damasco, Paulo experimentou uma devastadora desconstrução da fé. À mesa com Ananias, Paulo experimentou uma bela reconstrução da fé. Uma noite escura o levou a uma nova aurora. Pelo resto da vida, Paulo vai viver à luz da singular oniabrangente revelação de que Jesus Cristo é a imagem do Deus invisível. Esse e somente esse é o único fundamento possível da fé cristã.

7
O único fundamento

Sem um rival à sua altura, o mais importante teólogo na história do cristianismo é o apóstolo Paulo. A influência desse incansável missionário na formação do cristianismo e subsequentemente no curso da história ocidental é incalculável. Mais do que qualquer outro indivíduo sozinho, Paulo abriu o caminho para que o mundo ocidental abandonasse seu cansado paganismo e abraçasse a nova fé proclamada no evangelho de Jesus Cristo. Mas qual foi o fundamento do evangelho de Paulo que mudou o mundo? Ele nos conta isso numa carta que escreveu para as igrejas na Galácia: "Irmãos, quero que vocês entendam que a mensagem das boas-novas por mim anunciada não provém do raciocínio humano. Não a recebi de fonte humana, e ninguém a ensinou a mim. Ao contrário, eu a recebi por *revelação* de Jesus Cristo" (Gl 1.11-12, ênfase acrescentada).

Tudo em que o apóstolo Paulo acreditou, tudo o que pregou, escreveu e fez foi construído sobre o fundamento da *revelação* de Jesus Cristo que lhe foi transmitida por Deus. Paulo não chegou ao conhecimento de que Jesus Cristo é o Senhor Deus mediante uma série de deduções ou através de um cuidadoso processo lógico. O evangelho de Paulo está inteiramente construído sobre o fundamento da revelação — uma manifestação divina independente da razão humana. Paulo não leu a Bíblia e finalmente deduziu que Jesus é o

Messias como se ele fosse um Sherlock Holmes investigando as provas. Não! Deus *revelou* isso a Paulo. E como resultado dessa revelação ele agora tinha de ler a Bíblia de uma maneira completamente nova. Assim que temos a revelação de que Jesus é o Cristo, *então* podemos constatar isso no Antigo Testamento. Mas não podemos começar com o Antigo Testamento e mediante raciocínios chegar a uma conclusão lógica de que Jesus é o Cristo. A luz da revelação que emana do próprio Jesus Cristo ilumina as Escrituras como um todo.

Paulo insiste que, sem a revelação de Cristo, a leitura das Escrituras é coberta por um véu, dizendo que "esse véu só pode ser removido em Cristo" (2Co 3.14). A revelação não é o fim; é o começo. A revelação não é o teto; é a pedra fundamental. A revelação não é aonde chegamos, é onde começamos. Jesus Cristo é a revelação de Deus, mas isso não podemos saber sem a ação de Deus em nós. Deus deve tomar a iniciativa na revelação, e esse é o trabalho do Espírito Santo. A revelação de Jesus Cristo é o único fundamento da fé cristã. Paulo é muito explícito ao afirmar que nem seu vasto conhecimento das Escrituras nem seu treinamento formal na interpretação bíblica determinou como ele passou a conhecer Jesus como o Cristo. Em vez disso, ele diz que isso ocorreu quando "foi do agrado de Deus *revelar* seu Filho a mim" (Gl 1.15-16, ênfase acrescentada).

Paulo ama a palavra *revelação* — ela é crucial em sua teologia. Ele emprega revelação (*apokalypsis*, "desvelar") umas trinta vezes em suas cartas. E em toda parte em suas epístolas, Paulo insiste que a revelação de Jesus Cristo é o único fundamento sobre o qual nossa fé pode se assentar em segurança. Como ele disse aos coríntios: "ninguém pode lançar outro alicerce além daquele que já foi posto, isto é,

Jesus Cristo" (1Co 3.11). O fundamento de Jesus Cristo não se apoia em *algum outro* fundamento — como a Bíblia ou a ciência ou a razão. Não, o próprio Jesus Cristo é a rocha do fundamento. O apóstolo Paulo sabe que a revelação de Jesus Cristo é a única base confiável para a nossa fé. E o apóstolo Pedro também sabe disso.

Quando Jesus perguntou a seus discípulos "Quem as pessoas dizem que eu sou?" (Mc 8.27), os discípulos relataram as várias teorias que possivelmente explicavam as ações e a identidade do Jesus de Nazaré: João Batista, Elias, Jeremias, ou um dos profetas. Essas são conclusões teológicas que podiam ser deduzidas a partir de um modo específico de ler a Bíblia no primeiro século. Mas depois Jesus fez a mais importante das perguntas:

"E vocês?", perguntou ele. "Quem vocês dizem que eu sou?"
Simão Pedro respondeu: "O senhor é o Cristo, o Filho do Deus vivo!".
Jesus disse: "Que grande privilégio você teve, Simão, filho de João! Foi meu Pai no céu quem lhe *revelou* isso. Nenhum ser humano saberia por si só. Agora eu lhe digo que você é Pedro, e sobre esta pedra edificarei minha igreja, e as forças da morte não a conquistarão".

Mateus 16.15-18 (ênfase acrescentada)

Pedro, como Paulo, não deduziu quem Jesus era mediante um processo de estudo ou um método de lógica, mas mediante uma revelação divina que lhe foi dada diretamente pelo Pai. Essa revelação mudou a identidade de Simão e ele recebe um novo nome. De fato, a revelação de Jesus Cristo é tão monumental que confere a cada um que a recebe uma nova identidade. Jesus diz a Simão que daqui por diante o chamará Pedro (*Petros* ou Pedroso). Jesus então anuncia que sobre esse leito de pedra (*petra*) da revelação ele construirá sua igreja e nada, nem mesmo as forças da morte, prevalecerá contra ela. O que é esse fundamento inexpugnável sobre o qual a fé cristã está construída? A revelação de Jesus Cristo concedida por Deus. O fundamento sobre o qual a igreja está construída *não* é a Bíblia ou a teologia ou a razão ou a evidência histórica ou a apologética, mas sim a revelação conferida por Deus de que Jesus Cristo é o Filho de Deus.

O conhecimento direto acerca da transcendência suprema só é possível se aquele que é o Transcendente iniciar o contato. Esse contato iniciado por Deus é o que Paulo quer dizer com a palavra *revelação*. O cristianismo não é uma série de provas; é a confissão baseada na revelação de que Jesus Cristo é o Senhor. Embora eu afirme que o cristianismo é crível, ele não é provável. A revelação de Jesus Cristo não pode ser comprovada (ou "descomprovada"), pode apenas ser proclamada. E a proclamação pode ser acreditada ou não acreditada. Mas Paulo insiste que a capacidade de acreditar está inerentemente presente na proclamação — a proclamação é autoautenticadora por ser a palavra de Cristo. "Portanto, a fé vem por ouvir, isto é, por ouvir as boas-novas a respeito de Cristo" (Rm 10.17). A capacidade de crer está ontologicamente presente na proclamação do evangelho.

Os autores do Novo Testamento, que informam toda a teologia cristã, operam a partir dessa revelação fundamental: Jesus Cristo é Deus entre nós. Eles não *chegam* a essa revelação; eles começam *a partir dela*. E, partindo dessa revelação, retornaram a suas Escrituras (a Bíblia hebraica) e as interpretaram de uma maneira nova e distintamente cristã. Para os autores do Novo Testamento, "Filho de Deus" não é uma hipérbole para designar que grande homem Jesus era, mas sim é o fundamento de sua fé. A cristologia deles era a impassível alegação de que o Jesus de Nazaré era o Deus de Israel encarnado. Eles não querem apresentar a seus leitores outra possível conclusão. Karl Barth, o grande teólogo suíço que escreveu sobre a supremacia da revelação divina mais extensa e irrefutavelmente do que qualquer outro teólogo, diz isso deste modo:

> Aqueles que a investigaram [a cristologia] e a representaram não tinham a intenção de dizer: Nós encontramos um herói ou um sábio ou um santo, para cuja descrição adequada nós, em nosso mais sublime êxtase, só dispomos de termos provisórios tais como a palavra de Deus ou o Filho de Deus. Mas aqui também, precedendo todas as experiências e êxtases possíveis, o conhecimento da divindade de Jesus Cristo foi o início do caminho. Mesmo se os autores do Novo Testamento também encontram em Jesus traços heroicos ou santos, ou as características de um sábio, isso, todavia, não significa que podemos avançar e dizer que essa é a linha a seguir para encontrar a característica distintiva e original em Jesus e para falar sobre ele. Pelo contrário, isso tudo — na medida em que traços disso se encontram no Novo Testamento — nada mais é do que sua gaguejante, inadequada expressão da consciência inicial e básica: nós encontramos Deus, nós ouvimos sua Palavra — esse é o fato original e supremo.[1]

Nossa consciência de que em Jesus Cristo encontramos Deus é o que Barth denomina "o fato original e supremo". É a origem e o *fato* fundamental de nossa fé. O que alguns pensam ser a conclusão é, na realidade, o início — o único início possível. O conhecimento de que Jesus é Deus nos é transmitido via testemunho e é captado via revelação. Não pode ser de outro jeito. Se tivermos qualquer outro ponto inicial que não seja a revelação, Jesus já não será o fundamento. Se iniciarmos em qualquer outro ponto que não seja com a revelação de Jesus — a religião, a ciência, a Bíblia, a teologia, a filosofia — *isso* se torna o fundamento. Mas, como diria Paulo, que Deus não permita! Pode haver numerosos testemunhos dessa revelação, mas a revelação por si só é o fundamento. Se tentarmos tornar qualquer outra coisa o fundamento da fé, construiremos sobre um fundamento que, em última análise, não pode suportar o peso da alegação que faz. Baseando-se muito em Karl Barth, o estudioso do Novo Testamento Douglas Campbell explica:

> Se os cristãos pensam que podem provar a existência de Deus agindo em Jesus independentemente da revelação divina da identidade de Deus, usando alguma verdade mais elevada ou algum argumento ou posição mais elevada que todos reconhecem, eles pagam um alto preço. Essas tentativas podem ser convincentes para os fiéis, mas tendem a cair por terra sob o devastador escrutínio de filósofos modernos. E uma cultura que ouviu dizer alto e bom som que se pode provar a existência de Deus sente-se então justificada ao afastar-se decididamente de Deus. A única coisa que parece ter sido provada é que Deus não existe. Deus é rejeitado como uma hipótese não comprovada se não há ninguém que confronte o lugar onde Deus de fato escolheu dar-se a conhecer, que é pessoalmente, em Jesus.[2]

Ambos Barth e Campbell insistem que precisamos reconhecer que a revelação é o único possível e confiável fundamento da fé cristã. Nós já sabemos disso porque é assim que experimentamos a realidade de Cristo. Mas a modernidade nos disse que nossa própria experiência é inválida por não poder ser verificada empiricamente. Se capitulamos diante da arrogante e infundada asserção da modernidade de que somente o que é verificável num laboratório é crível, temos de aceitar um jogo sujo no qual o próprio fundamento é arrancado de sob nossos pés. Mas se nos sentimos embaraçados para afirmar que acreditamos em algo que não pode ser provado segundo o jogo sujo do empirismo, as consequências podem ser catastróficas para a nossa fé cristã.

O cristianismo histórico está construído sobre a autoautenticadora revelação de Jesus Cristo e não pode ser provado nem refutado por um método filosófico. O fundamentalismo moderno, em contrapartida, construído sobre o fundamento inferior do biblicismo, é facilmente desmantelado. O fundamentalismo está cheio de alçapões que propiciam a queda no abismo do ateísmo!

Não faz muito tempo, tive uma conversa com uma ex-cristã que se havia tornado ateia recentemente — de novo, depois de ouvir um dos onipresentes *podcasts* pós-cristãos que tendem a confundir o fundamentalismo moderno com o cristianismo histórico. Durante nossa conversa, essa ponderada mulher prontamente admitiu que ainda sentia uma profunda admiração por Jesus, mas depois perguntou: "Por que Jesus tem de ser Deus?". Para ela, a alegação de que Jesus é Deus é uma *conclusão* a que se pode chegar ou não refletindo sobre Jesus. Para os autores do Novo Testamento, porém, a revelação de que Jesus é o Filho de Deus é o *ponto inicial* de tudo. Em resposta ao questionamento dela, fiz minha própria pergunta: "De que Jesus estamos falando?"

Ela disse: *"Você sabe... Jesus"*.

Não, não sei. Diga-me, de que Jesus estamos falando?
Bem, do Jesus de Nazaré. O Jesus que pregou na Galileia. O Jesus que foi crucificado pelos romanos. Por que esse Jesus tem de ser Deus?
Como você sabe que o Jesus de Nazaré pregou na Galileia e foi crucificado pelos romanos? Qual é sua fonte de conhecimento?
Acho que é porque isso está nos evangelhos.
Tudo bem então. Você acredita que Jesus pregou na Galileia e foi crucificado pelos romanos porque Mateus, Marcos, Lucas e João lhe dizem isso, mas você não acredita que esse Jesus é Deus.
Exatamente.
Será que Mateus, Marcos, Lucas e João sabiam que Jesus não era Deus e deliberadamente perpetuaram uma farsa?
Não, eles acreditavam que Jesus era Deus.
Então eles eram o quê, estúpidos?
Eu não diria que eram estúpidos, eles apenas não eram, não sei...
Modernos?
Acho que é isso.
Então, Mateus, Marcos, Lucas e João (ou quem quer que tenha escrito os evangelhos) escreveram baseados numa convicção de que Jesus de Nazaré era o Filho de Deus, mas dois mil anos depois, você *sabe* que isso não é possível porque você é uma pessoa moderna que ouve *podcasts*?

Minha última pergunta pode ser sido um pouco sarcástica, mas eu quis enfatizar a inerente arrogância de certos modernos modos de pensar. Se há algo que podemos dizer sobre a modernidade empírica é que certamente ela não é muito humilde. A arrogância da modernidade está arraigada em sua certeza não crítica — ela está convencida de que *tudo o que pode ser conhecido* só pode ser conhecido mediante seu método. (O pós-modernismo pode não ser amigo do cristianismo, mas ele nos serviu para furar o inflado orgulho da modernidade.)

O empirismo moderno parte do pressuposto de que a revelação é impossível e que não existem outras vias de conhecimento ou objetos de conhecimento situados fora do escopo da indagação empírica. Obviamente, esse é um sistema que traz embutido o defeito do ateísmo desde o princípio! Quando uma pessoa diz: "Eu me recuso a acreditar na existência de realidades invisíveis a menos que as *veja*", ela, por definição, acabou o jogo antes de ele começar. Se desde o ponto de partida você insiste que, se Deus não aparecer num telescópio como o Alpha Centauri ou no microscópio como uma molécula de DNA, então Deus não existe, bem, adivinhe só, você vai "provar" que Deus não existe. Argumentar que o Deus Criador que se autossustenta não existe porque Deus não aparece na categoria de fenômeno contingente não é um argumento de boa-fé; é uma trapaça. Se você parte do pressuposto empírico, o ateísmo é uma conclusão previamente determinada. É um jogo sujo. Mas o cristianismo histórico (em oposição ao fundamentalismo moderno) sempre se negou a jogar esse jogo. O cristianismo histórico se recusa a aceitar a intimidação arrogante da modernidade e a alegação espúria de que a revelação divina é impossível. Como apropriadamente disse Hamlet ao racional Horácio: "Há mais coisas entre o céu e a terra do que supõe sua vã filosofia".[3]

A Bíblia não é o fundamento da fé cristã

Com frequência os cristãos protestantes (especialmente os evangélicos) aprendem que o fundamento da fé cristã é a Bíblia. Isso praticamente constitui um truísmo universal no mundo evangélico, evidenciado pela maneira como a maioria das afirmações evangélicas de fé começam pela Bíblia. Subsequentemente, se a Bíblia é o fundamento da fé cristã, então a Bíblia deve ser defendida a qualquer custo — e tende a ser uma leitura infalível, literalista da Bíblia que deve ser defendida. Nesse sistema, uma falha na Bíblia é uma rachadura no fundamento que pode levar a um colapso catastrófico. Essa é a ansiedade que provê o combustível da falsa apologética como a de Ken Ham. Apostar na precisão literal científica e histórica da Bíblia é entrar num jogo do mais alto risco. Mas devemos apostar nossa fé na arca de Noé pousada no topo do monte Ararate ou nas carruagens egípcias enferrujando no fundo do mar Vermelho? Não, isso seria um empreendimento fadado ao fracasso.

A esta altura, alguém normalmente me acusará de ter uma visão que menospreza as Escrituras. Mas esses acusadores estão errados. Não tenho uma visão negativa das Escrituras; tenho uma visão elevada de Cristo. Considero as Escrituras como abalizadas na informação e formação da fé cristã. (Observe as centenas de referências às Escrituras em todos os meus livros!) Fielmente afirmo a Bíblia como fonte de autoridade da fé cristã, mas não é onde começamos — a Bíblia não é autoautenticadora.

Veja como isso funciona: primeiro, eu acredito em Cristo — acredito que Jesus é o Cristo, o Filho do Deus vivo. Acredito nisso porque isso me foi revelado quando eu tinha quinze anos de idade. Essa alegação não pode ser provada nem desmentida; ela só pode ser atestada e acreditada ou não acreditada. Não foi por meio de estudos que me convenci de que Jesus Cristo é Deus; isso me foi revelado. Quarenta e cinco anos de subsequente estudo da Bíblia são o resultado da revelação inicial de Jesus Cristo. Estou procurando entender o que já me foi revelado. Isso é o que significa o mote de Anselmo "fé à procura de entendimento".[4] Mas essa absolutamente importante revelação de Jesus Cristo não aconteceu sem mediação. Foi possível mediante o testemunho fiel da igreja transmitido através dos séculos. Assim, passei a ter um profundo e permanente respeito pelo testemunho da igreja. Depois a igreja diz: "Ei, BZ, nós temos um texto canônico que consideramos fonte de autoridade. Chama-se Bíblia". É assim que passo a aceitar a Bíblia como fonte de autoridade, mas trata-se de um processo de três passos: primeiro Jesus, depois a igreja e, finalmente, a Bíblia. Começar pela Bíblia e fazer *dela* o fundamento da fé (em vez de Jesus!) significa atribuir à Bíblia mais peso do que ela pode suportar. Deixe-me apresentar apenas um exemplo.

Os cristãos que fundamentam sua fé na Bíblia muitas vezes enfrentam o enigma moral da escravidão. O fato é que em nenhum dos dois Testamentos a Bíblia faz uma denúncia clara da escravidão. A Bíblia simplesmente pressupõe a instituição da escravidão e não apresenta nenhuma visão identificável a favor de sua abolição. (Embora eu de fato insista que, em algumas das epístolas de Paulo, nós encontramos a *trajetória* para uma teologia da abolição.) Recentemente eu estava fazendo uma palestra para um grupo de adolescentes num acampamento de jovens no Colorado. O tema proposto era "Qual é o posicionamento da Bíblia?". Abri a palestra com um texto de Êxodo 21:

Se um senhor espancar seu escravo ou sua escrava com uma vara e, como resultado, o escravo morrer, o senhor será castigado. Mas, se o escravo se recuperar em um ou dois dias, o senhor não receberá castigo algum, pois o escravo é sua propriedade.

Êxodo 21.20-21

Depois deixei penosamente claro para a minha jovem plateia o que esse texto bíblico da idade do bronze diz: O dono hebreu de um escravo tinha permissão para espancar o escravo até ele desmaiar; se o escravo morresse em um ou dois dias em consequência do espancamento, o dono do escravo estava isento de punição *porque* "o escravo é sua propriedade". Perguntei em seguida aos adolescentes quantos deles discordavam da lei bíblica. Esperei até que todos eles estivessem com a mão levantada. Insisti que eles estavam contradizendo a Bíblia e aparentemente alegando ter uma visão moral superior à da Bíblia acerca do assunto da escravidão. Eles, nervosos, concordaram. Eu lhes dei meus parabéns, dizendo: "É óbvio que vocês têm uma visão moral superior acerca do assunto da escravidão àquele que se encontra em Êxodo, e devem mesmo ter porque vocês acreditam em Jesus!". Estaria eu tentando minar o valor da Bíblia na vida desses jovens cristãos? Não! Eu estava dando a eles um jeito de apegar-se à Bíblia por toda a vida. Estava tentando bloquear a possibilidade de eles, quando mais velhos, dizerem algo como: "A Bíblia defende a escravidão! Para mim, a Bíblia acabou, acabou o cristianismo!". Misturar a Bíblia e a fé cristã como se fossem a mesma coisa é um lance perigoso.

Fiz essa palestra nas Montanhas Rochosas num encontro ao ar livre embaixo de um bosque de altos pinheiros. Num momento inspirado, apresentei aos adolescentes esta ilustração: A fé cristã é uma árvore viva enraizada em Cristo e nutrida pelo solo das Escrituras. Vocês não podem remover a árvore do solo e esperar que ela sobreviva, mas tampouco devemos pensar que a árvore e o solo são a mesma coisa! A Bíblia e o cristianismo não são sinônimos. Sim, estão conectados, mas permanecem distintos. Assim, se a Bíblia pressupõe que a escravidão é uma instituição tolerável e inevitável, dizendo até que os escravos são propriedade de seus donos, isso não significa que essa é a posição ética cristã sobre a escravidão. O cristianismo não é escravo da Bíblia — o cristianismo é escravo somente de Cristo! Do solo das Escrituras cresce a madura fé cristã que não apenas sabe como também deve se opor a todas as formas de escravidão em nome de Jesus.

Uma vez que o cânon da Escritura está fechado, o solo da fé cristã é imutável. Mas isso não impede que a viçosa fé cristã cresça, mude, se desenvolva e com o passar do tempo amadureça. Evidentemente, como ela cresce e muda será muitas vezes uma questão de ardentes debates no seio da igreja, mas é exatamente assim que as coisas acontecem. (E eu entendo que a natureza profundamente fraturada da igreja compõe a complexidade desse problema.) A igreja pode ver-se complicada com o pressuposto de que a escravidão é uma instituição inevitável, mas a fé viva do cristianismo é capaz de crescimento e pode produzir ramos inteiros de abolição.

A afirmação de que a fé cristã está para sempre enraizada nas Escrituras e, no entanto, é distinta das Escrituras é ao mesmo tempo teologicamente conservadora e teologicamente progressista: *conservadora* porque reconhece a inviolabilidade das Escrituras; *progressista* porque estabelece uma distinção vital entre a fé viva e o texto histórico. A afirmação de que a fé cristã é a mesma coisa que a Bíblia é um erro fundamentalista que é basicamente insustentável. Em nome do biblicismo, você pode acabar defendendo o pecado. Já encontrei fundamentalistas encurralados num canto biblicista tentando defender a Bíblia dizendo: "Às vezes, a escravidão é uma coisa boa" e "Existiram bons donos de escravos". E isso foi dito em referência à escravidão americana! Isso não é defender a Bíblia; é abusar da Bíblia! A respeito de "bons" escravos e "bons" donos de escravos, James Cone escreve:

> Da perspectiva dos negros, a expressão "bom" dono de escravos equivale a falar de "bons" racistas e "bons" assassinos. Quem em sã consciência poderia fazer essas afirmações absurdas, a não ser quem lida com abstrações históricas? Certamente não as vítimas! De fato, pode-se argumentar que os assim chamados bons donos de escravos foram realmente os piores, se considerarmos o efeito desumanizador da escravidão mental. No mínimo aqueles que eram ostensivos em seu abuso físico não camuflavam sua selvageria com a doutrina cristã, e pode ter sido mais fácil para os escravos negros fazer as necessárias distinções de valores de modo que pudessem regular sua vida de acordo com suas próprias definições. Mas "bons" donos de escravos encobrem sua brutalidade apresentando razões da teologia cristã, dificultando para os escravos o reconhecimento do demoníaco. [...] O "bom" dono de escravos os convencia de que a escravidão foi o destino que lhes coube ordenado por Deus, e foi a vontade dele que os negros obedecessem aos brancos. No final das contas, Cam foi amaldiçoado, e São Paulo exorta os escravos a serem obedientes a seus patrões.[5]

Quando seu fundamento bíblico exige que você defenda o pecado da escravidão, está na hora de arranjar um fundamento novo!

A única teologia perfeita

Quero que fique bem claro, eu amo a Bíblia. Minha teologia está firmemente enraizada no solo sagrado das Escrituras. Tenho lido a Bíblia praticamente todos os dias por mais de quatro décadas. O solo das Escrituras é a principal fonte dos nutrientes espirituais que permeiam todas as áreas de minha vida. Mas minha fé cristã é maior do que a Bíblia — e ouso dizer melhor do que a Bíblia. Jesus Cristo é a única teologia perfeita e o único fundamento duradouro. Em suma, não estou dizendo nada mais do que disse Jesus quando proferiu estas palavras: "Vocês estudam minuciosamente as Escrituras porque creem que elas lhes dão vida eterna. Mas as Escrituras apontam para mim! E, no entanto, vocês se recusam a vir a mim para receber essa vida" (Jo 5.39-40). O que a Bíblia faz de melhor, o que a Bíblia faz à perfeição, o que a Bíblia faz de modo infalível é nos mostrar Jesus como Salvador. Jesus impede que a Bíblia seja um arcano texto religioso que pode ser mal-empregado para justificar todos os tipos de clamorosas maldades, desde a escravidão às cruzadas e até o colonialismo. No final das contas é Jesus — o único fundamento! — que salva e sustenta a Bíblia, a igreja, o cristianismo e minha fé.

Minha fé viva começou com uma revelação de Jesus Cristo quando eu era adolescente. Dois anos mais tarde, quando estava no último ano do ensino médio, escrevi meu trabalho sobre a ressurreição de Jesus. Escolhi o título "A ressurreição: fato ou ficção?". Eu me transformara num apologista da fé cristã de dezoito anos de idade. Esforcei-me muito naquele trabalho — uma ocorrência extremamente rara para mim no ensino médio! Meu trabalho baseou-se em *Evidência que exige um veredicto*, de Josh McDowell, e em outros livros semelhantes de apologética cristã. Se não me engano, tirei um A — outra ocorrência rara. Mas não me orgulho daquele trabalho. Por quê? Porque ele era malicioso. Meu trabalho de aluno do último ano dá a impressão de que eu acredito na ressurreição de Jesus Cristo porque havia estudado todas as provas e chegado à única conclusão inteligente. Mas isso é história revisionista.

Passei a acreditar na ressurreição quando Jesus me foi revelado num sábado à noite em 1974. Naquela altura, eu não conhecia um único argumento apologético para a história da ressurreição — e não precisava de nenhum! Pode de fato haver razões convincentes provando que a ressurreição é a explicação mais plausível para o túmulo vazio, *mas isso não teve nada a ver com a minha fé!* Eu acreditei na ressurreição antes de jamais ter ouvido falar de Josh McDowell. O fundamento de minha fé não foi o livro *Evidência que exige um veredicto*; foi a evidência de minha própria experiência. Todavia, como cristãos modernos, nós estamos condicionados a sentir certo embaraço por alegar o conhecimento de algo mediante uma experiência revelatória, e assim somos tentados a fingir que nossa fé se baseia em algo com que todos concordam. Mas isso é uma renúncia ao entendimento apostólico de como e por que acreditamos em Jesus.

Acho muito impressionante que levei décadas para admitir o que sabia o tempo todo: acredito em Jesus porque o *conheço*. E hoje não sinto embaraço algum ao confessar que o fundamento de minha fé é minha própria experiência com o Cristo ressuscitado. Amém.

Gostaria de encerrar este capítulo compartilhando uma carta que escrevi a um amigo ateu alguns anos atrás. Ele queria conversar com um crente sobre fé, e eu me senti feliz de ser seu interlocutor. Aqui está o que eu disse.

Carta a um ateu

Prezado Tim,

Concordo com você sobre *Em defesa de Cristo*. Não é uma argumentação convincente. Mesmo assim, gostaria de conversar com você brevemente acerca de Deus. Não por alguma forma de condescendência, você merece mais que isso, mas abrindo meu coração. Por favor, deixe-me dizer o que penso.

Existe um Deus em algum lugar?

Sim e não.

Deus, para ser Deus, no sentido de um eterno, autoexistente ser responsável por tudo aquilo que chamamos de existência, a única coisa que ele não pode é estar em algum lugar. Deus é necessariamente invisível. Existe um lugar chamado Timbuktu, existe um planeta chamado Netuno, existe uma xícara de café colocada diante de mim, mas nesse sentido não existe um lugar onde Deus esteja. Falar assim seria situar Deus dentro do universo como um outro objeto. Isso é o que Deus não pode ser. A não ser que Deus escolhesse de algum modo juntar-se à criação. (Isso é o que os cristãos acreditam a respeito da encarnação de Cristo, mas essa é outra discussão.)

Posso eu provar que Deus existe? Acho que não, pelo menos não da maneira que posso provar que tenho três gatos morando na minha casa. Confio que Deus pode provar sua própria existência, mas ele não parece propenso a fazer isso. Pelo menos não no momento presente. Embora, sem tentar convencer você a acreditar em mim, eu de fato acredite que Deus irá, a seu tempo, apagar da mente de todos os seres inteligentes todas as dúvidas sobre sua realidade. Mas, como disse C. S. Lewis: "Quando o autor entra no palco, a peça acaba."

Então não existe um Deus em algum lugar.

Mas eu acredito que Deus existe.

Por quê?

Certamente não porque posso construir uma argumentação inflexível em defesa da existência de Deus, mas porque sei que quando faço todo o possível para não acreditar em Deus, sei que estou mentindo para mim mesmo. Será que eu quero que exista um Deus? Talvez. Mas vou lhe dizer o que eu quero até mais que a existência de Deus, e é o seguinte: a Verdade. E depois de experimentar eliminar mentalmente a existência de Deus, eu sei que menti a mim mesmo. Será esse um argumento persuasivo? Provavelmente não para você. Mas para mim é. Talvez o mais persuasivo. Sei que existe um Deus porque eu sei que existe um Deus. Circular? Sim. Mas não consigo sair desse círculo e continuar sendo sincero comigo mesmo. Não posso desconhecer o que conheço e ser sincero comigo mesmo. Esse não é um bom argumento para acreditar em Deus, mas eu quis dizer isso assim mesmo. (Lembre-se, estou falando do fundo do meu coração.) Vamos prosseguir e falar de outros pontos.

Um ateu não acredita em Deus. Em que um ateu não acredita? Em Deus. Vamos ser absolutamente claros neste ponto. O que é que um ateu está convencido de que não existe? DEUS. Humm! A maioria dos ateus que conheço parece pensar em Deus praticamente tanto quanto eu. A maioria das pessoas não acredita em muitas coisas: nos unicórnios, no Pé-grande, no monstro do Lago Ness, entre outras. Mas ninguém se preocupa com identificar-se como a-Pé-grandista, etc. Deus é porque Deus é. Até os ateus sabem o que Deus é. Deus é absolutamente único. Uma classe em si mesmo. Essa é uma coisa que Deus deve ser... caso contrário, não teríamos sequer uma palavra para isso. Os unicórnios podem ser uma fábula, mas há cavalos e animais com chifres. O Pé-grande pode não estar nos bosques, mas há grandes mamíferos nos bosques. Nessie talvez não esteja no lago, mas há estranhas criaturas no mar. Deus, porém, é absolutamente único — não uma variação de um tema. Insistir que não se acredita em Deus é um absurdo. (Palavras fortes, mas, sim, acredito nisso.) Exatamente mediante o uso da palavra você reconheceu a realidade desse ser absolutamente único. E assim, como gracejou G. K. Chesterton: "Sem Deus não haveria ateus". Eu me lembro do recente debate em Oxford entre Richard Dawkins e Alister McGrath e como Dawkins exclamou durante o debate: "Meu Deus!". Claro, a plateia riu.

Aqui cabe uma pergunta. E, realmente, uma pergunta séria. Por que existe alguma coisa em vez de nada? Estamos aqui, no final das contas. Por quê? Durante muito tempo, a resposta padrão ateísta era algo assim: "Bem, por que não? É assim que as coisas são". Em si mesma, essa resposta parece bastante fraca, mas depois alguma coisa aconteceu fazendo que esse argumento já não fosse sustentável. A descoberta do *Big Bang*. Nós agora sabemos que, 13,8 bilhões de anos atrás, alguma coisa aconteceu que deu início ao tempo, ao espaço e à matéria. Antes disso havia... bem, nada; nada no sentido mais literal do mundo. Não havia nem sequer um "antes" — havia simplesmente nada. E do nada — *bang!* — o início do tempo, do espaço e da matéria. Por quê?

Aqui está outra pergunta. Que evidência você aceitaria como prova da existência de Deus? O que você exigiria de Deus para persuadir-se da existência dele? Deus deveria fazer o quê? Falar com você? (Vou chegar a esse ponto num momento.) Aparecer a você? Mas depois é claro que você pode duvidar da validade dessa experiência. Talvez seja uma alucinação. Ou como você saberia que não se trata de um alienígena muito evoluído dotado com o que parece, mas apenas parece, um conjunto de atributos divinos? Como poderia Deus provar a si mesmo a você? Existe alguma coisa de que você não possa duvidar? Sabe como é, é possível você duvidar até mesmo de sua própria existência. Assim, será que alguém é ateu simplesmente porque é impossível acreditar em Deus, apesar de qualquer evidência apresentada?

Que tal se Deus lhe aparecesse e você se convencesse de que Deus existe? Como você convenceria outro ser humano sobre a realidade de Deus? Uma questão importante a ponderar.

Tudo bem, vamos voltar ao Pé-grande. Suponhamos que você sabe que geralmente sou uma pessoa sincera. E suponhamos que eu lhe dissesse que havia um Pé-grande morando nos bosques atrás de minha casa. E suponhamos que várias outras pessoas geralmente confiáveis lhe dissessem a mesma coisa. E suponhamos que eles dissessem que se você fosse investigar os bosques pessoalmente, embora não pudessem garantir que você veria o Pé-grande, eles, mesmo assim, afirmassem que era grande a probabilidade de que você o visse com seus próprios olhos... será que você pelo menos não se daria ao trabalho de ir conferir o caso? Em outras palavras, essas pessoas em geral sinceras não estavam meramente pedindo que você acreditasse nas palavras delas, mas pedindo que você investigasse a situação pessoalmente. Você não faria isso?

Eu gostaria de falar dos bosques onde acho que você talvez pudesse encontrar Deus.

Oração.

Ore a Deus e veja se alguma coisa acontece. Pergunte a Deus se ele é real e, se for, peça que ele de algum modo deixe você saber. Peça sinceramente, mesmo se você vai, claro, pedir com ceticismo. O que é que você tem a perder?

Você pelo menos sabe que há pessoas inteligentes, sinceras que alegam ter encontrado Deus nos bosques da oração. Talvez elas estejam erradas, mas por que não examinar a experiência pessoalmente?

É assustador encontrar-se com o Pé-grande nos bosques? Eu só consigo imaginar. É assustador encontrar-se com Deus na realidade? Eu descobri isso (e muitas outras coisas). As implicações são enormes. Mas quando lhe disse que aquilo que desejo acima de tudo é a Verdade, eu disse a verdade. Naturalmente, eu posso ser um alienígena perverso disposto a enganar você, quem sabe? Pois de tudo se pode duvidar. Todos nós tomamos decisões baseadas na fé o dia inteiro.

Não vou tentar convencer você de que Deus existe. Embora eu tenha levantado essas questões, acho que está além de minha capacidade convencer qualquer pessoa da existência de Deus. E tampouco realmente sinto que caiba a mim fazer isso. Mas vou mostrar os bosques onde muitas pessoas alegam ter encontrado Deus. E algumas delas eram o que você chamaria de gente muito confiável.

Oração.

Acho que vale a pena conferir.

Tim, estas não são palavras paternalistas. Respeito você. Respeito você como colega ser humano, um genuíno investigador e um homem extraordinariamente inteligente. Estou apenas compartilhando com você minha experiência com Deus. E faço isso na esperança de que você possa ter uma experiência semelhante. Não é realmente um argumento que estou lhe apresentando (embora eu tenha feito algumas ligeiras afirmações e levantado algumas questões). O que estou lhe oferecendo é a possibilidade de uma experiência. Sem garantias, mas a possibilidade (por mais improvável que possa parecer) de experimentar Deus.

Desejo-lhe tudo de bom.

Seu amigo,
Brian Zahnd

8
Totalmente a sós no andar de cima

A moderna era tecnológica que herdamos teve seu início com o movimento intelectual europeu do século 17 enfatizando a razão em detrimento da fé e da tradição, e René Descartes (1596-1650), entre algumas outras personalidades, pode ser considerado o pai desse movimento que chamamos de Iluminismo. Sua proposição filosófica *Cogito, ergo sum* (Penso, logo existo) continua sendo um dos mais famosos axiomas da história do pensamento ocidental. Se tivéssemos de atribuir uma data simbólica ao início do Iluminismo, poderíamos provavelmente conectá-lo com a publicação do *Discurso sobre o método* de Descartes em 1637. Poucos livros alteraram o curso da história mais decisivamente do que essa obra seminal.

Mas a ênfase do Iluminismo na razão e no individualismo sobre e contra a fé e a tradição exerceu uma enorme pressão sobre a igreja e especialmente o escolasticismo medieval que havia dominado as universidades desde Tomás de Aquino. Muita gente, então e agora, vê o Iluminismo como um ataque à fé cristã. Paradoxalmente, isso é algo que Descartes, um católico devoto durante toda a sua vida, *não* intentou. De fato, numa carta a seu editor Descartes explicou que um dos principais propósitos do *Discurso sobre o método* foi provar logicamente a existência de Deus.

Como já vimos, porém, assim que aceitamos o desafio de provar a existência de Deus de acordo com os termos que provariam a existência de qualquer outro objeto ou fenômeno contingente, já entramos numa arena onde o ateísmo vai fatalmente prevalecer. As próprias regras do jogo tornam isso uma conclusão antecipada. Se Deus é a base do ser ("Pois nele vivemos, nos movemos e existimos" [At 17.28]), então não devemos pensar em Deus como uma *coisa* no universo cuja existência deve ser provada da mesma maneira que provaríamos a existência de, digamos, uma lula gigante.

Descartes estava tentando achar um fundamento filosófico sobre o qual construir tudo (inclusive a prova lógica da existência de Deus). Trabalhou nesse projeto tentando cavar cada vez mais fundo até achar o fundamento pétreo na forma daquilo de que não se pode duvidar. Em *Discurso sobre o método*, Descartes explica isso desta maneira:

> Durante muito tempo eu havia observado que na vida prática é às vezes necessário agir baseando-se em opiniões que se sabe que são muito incertas tais como se fossem indubitáveis. Mas, uma vez que agora eu desejava dedicar-me à busca da verdade, julguei necessário fazer exatamente o oposto e rejeitar como se fosse absolutamente falso tudo aquilo em que eu podia imaginar a menor dúvida, a fim de ver se sobrava alguma coisa inteiramente indubitável em que eu pudesse acreditar. [...] Resolvi simular que todas as coisas que alguma vez haviam entrado em minha mente não eram mais que ilusões de meus sonhos. Mas imediatamente notei que, enquanto eu estava assim tentando julgar todas as coisas como falsas, era necessário que eu, que estava pensando isso, fosse alguma coisa. E observando que esta verdade *Estou pensando, logo eu existo* era tão firme e segura que todas as mais extravagantes suposições dos céticos eram incapazes de derrubá-la, decidi que podia aceitá-la sem escrúpulo como o primeiro princípio da filosofia que estava buscando.[1]

Descartes havia encontrado o que ele considerou o fundamento filosófico pétreo, e também havia definitivamente estabelecido o individual pensante autônomo (em oposição à fé e à tradição) como árbitro supremo da verdade. Estabeleceu-se um rígido dualismo entre o pensamento racional superior e todos os outros meios de conhecimento. A teóloga Elizabeth Johnson diz:

> No alvorecer da era moderna a antiga árvore do dualismo hierárquico recebeu uma nova camada de folhagem na filosofia de René Descartes. Na visão dele, o mundo está dividido em mente racional que conhece (*res cogitans*) e todas as outras coisas que são objeto de conhecimento (*res extensa*).[2]

Cogito, ergo sum pode ser um fundamento adequado para um método científico suficiente para entender o mundo natural e capaz de criar a tecnologia para levar o homem à lua e inventar a internet. Mas será que toda a realidade se limita ao que pode ser investigado pelo método científico? Será que toda a realidade está contida no que pode ser experimentado mediante os cinco órgãos físicos sensoriais? Será que o ser em si pode ser explicado nos silogismos do especialista em lógica? Alguém neste ponto pensa na humilde advertência de Ludwig Wittgenstein quando ele conclui seu famoso *Tractatus* — "Aquilo sobre o que não podemos falar, devemos deixar passar em silêncio".[3]

Não sou filósofo, de modo que vou deixar a crítica às limitações do "Penso, logo existo" para Søren Kierkegaard, Martin Heidegger, John MacMurray e outros, mas vou destacar que se um dos objetivos de Descartes era provar a existência de Deus, ele havia de fato estabelecido um roteiro que impossibilita o conhecimento de Deus. "Penso, logo existo" *pode* ser um fundamento epistemológico adequado para a investigação científica, mas teologicamente é um posicionamento que nos deixa a sós no andar de cima dentro de nossa cabeça. Se pretendemos chegar a Deus por meio de nosso pensamento, o resultado mais provável é um mutilante cinismo. Como Kierkegaard enfatiza: "Quando o pensamento se volta para si mesmo a fim de pensar sobre si mesmo, então emerge, como sabemos, o ceticismo".[4] Se nós privilegiamos a cabeça em detrimento do coração em *todas* as questões de investigação, podemos muito bem nos excluir daquilo que intelectualmente não se pode conhecer. A mente racional é capaz de realizações impressionantes, mas não é o órgão adequado para experimentar Deus. A tentativa de usar a mente racional como o órgão para experimentar Deus mais se parece com a tentativa de aspirar o perfume de uma rosa pelo ouvido. O ouvido é um extraordinário órgão do sentido, mas não é o órgão para experimentar o aroma. Não podemos perceber com a mente aquelas coisas que só o coração é capaz de perceber. E isso nos leva a Blaise Pascal, contemporâneo e intelectual à altura de Descartes.

O rótulo de *gênio* pode ser usado com demasiada frequência, mas ele certamente se aplica a Blaise Pascal (1623–1662). Ele foi um sábio matemático que, segundo relatam, quando era um menino de doze anos descobriu sozinho as primeiras 32 proposições dos *Elementos* de Euclides e foi em frente até se tornar um dos mais celebrados matemáticos e físicos da história. Mas os interesses e experiências de Pascal não se limitavam à matemática e à ciência. Depois de uma dramática conversão aos 31 anos de idade, à qual se referia como sua "noite de fogo", Pascal também se tornou um dos mais celebrados pensadores religiosos de sua época. Ele escreveu o relato de sua "noite de fogo" num pedaço de pergaminho que carregou consigo pelo resto da vida. Em parte o pergaminho diz:

O MEMORIAL
No ano da graça de 1654.
Segunda-feira, 23 de novembro,
De cerca das dez e meia da noite até cerca de meia-noite e meia.
Fogo!
Deus de Abraão, de Isaque e de Jacó, não dos filósofos e dos sábios.
Certeza, certeza, no fundo do coração, alegria, paz.
Deus de Jesus Cristo.
Deus de Jesus Cristo.
Meu Deus e teu Deus.
O teu Deus será o meu Deus.
Esquecido está o mundo e tudo o mais, exceto Deus.
Ele só pode ser encontrado pelos caminhos ensinados nos evangelhos.
Grandeza da alma humana.
Ó Pai justo, o mundo não te conhecera, mas eu te conheci.
Alegria, alegria, alegria, lágrimas de alegria.
Alegria eterna por um dia de empenho sobre a terra.
Não vou me esquecer de tua palavra. Amém.[5]

Como proeminente matemático e inventor do precursor do computador moderno, Pascal entendia o potencial e o valor da mente racional. Não se pode acusar Pascal de descartar a razão. Mas, depois de sua mística noite de fogo, Pascal entendeu os limites da razão. Empregando a mente racional, alguém poderia inventar uma máquina calculadora (como fez Pascal), mas a mente racional não é o meio pelo qual encontramos Deus. Pascal não podia provar matematicamente sua experiência mística com Deus, mas ele sabia que ela foi verdadeira e mandou costurar seu "Memorial" às suas vestes. Em *Pensamentos*, uma coleção de reflexões espirituais publicada depois de sua morte, Pascal escreveu: "O coração tem razões que a própria razão desconhece: sabemos disso de inúmeras maneiras. [...] É o coração que percebe Deus, não a razão. A fé é isso: Deus percebido pelo coração, não pela razão".[6]

O salto para a fé

O coração tem suas razões que, embora incompreensíveis para a mente racional, são inteiramente legítimas. O empirismo é bom até tornar-se arrogante e alegar que pode conhecer tudo o que é conhecível. Como um órgão para experimentar e interpretar a realidade, o coração não é inferior à razão. Exatamente como não se pode ouvir com a língua ou cheirar com os ouvidos, assim também a experiência de Deus não é um fenômeno da mente, mas do coração. A teologia é uma atividade da mente, mas a *experiência* de Deus pertence ao coração. Os menos dotados de inteligência e educação não estão em desvantagem quanto a experienciar Deus. Como Pascal, não sou de modo nenhum contra a razão. Simplesmente sei que ela tem seus limites e não pode realizar o que, ontologicamente, é incapaz de fazer.

É apropriado e legítimo ficar no andar de cima dentro de sua cabeça quando estamos lidando com geometria, tentando calcular a circunferência da Terra, projetando microprocessadores ou procurando entender a natureza da matéria escura, mas não é ali que encontraremos Deus. Deus não será encontrado quando estivermos totalmente a sós no andar de cima de nossa cabeça; Deus nós encontraremos no andar de baixo, na sala de visitas — em nosso coração. E com o termo *coração* não me refiro aqui à esfera do sentimento, mas àquela parte de nosso ser onde experimentamos um fenômeno tal como o amor. O empirista puro nos dirá que aquilo que experimentamos como amor nada mais é do que uma resposta química vantajosa ao nosso desenvolvimento evolutivo. No entanto, embora prontamente reconheçamos que reações químicas estão presentes na experiência de certos tipos de amor, bem poucos de nós estão dispostos a dizer que o amor nada mais é do que hormônios e neurônios. Simplesmente sabemos que não é isso. Viver num mundo onde o amor não existisse seria viver num inferno — e isso pode estar muito próximo do que é o inferno: um mundo onde o amor não é real.

A modernidade insiste para que vivamos a sós no andar de cima dentro de nossa cabeça. Rejeita a fé e afirma que o coração é inferior à mente na avaliação do que se experimenta. A modernidade zomba da tradição como uma relíquia supersticiosa a ser descartada na idade da razão. Bem, permita-me lhe dizer que você tem a permissão pós-moderna para mandar a modernidade apear de seu imponente cavalo e calar a boca.

A modernidade pode querer pretender que se situa acima da tradição como "razão pura", mas de fato ela é apenas uma tradição de criticar e no fim rejeitar todas as outras tradições. E, como tal, é uma tradição bastante empobrecida. Contrariando a propaganda da modernidade, nem toda tradição se funda na superstição e é motivada por um desejo de controlar as pessoas. Uma tradição doentia pode ter essas características, e esse é um tipo de tradição que Jesus criticou, mas a tradição também diz respeito a como a sabedoria (especialmente a sabedoria moral e espiritual) é transmitida de uma geração para outra. Rejeitar toda tradição *simplesmente porque é tradição* é uma loucura juvenil.

Quanto à alegação da modernidade de que o coração é um meio ilegítimo de avaliar a realidade, você já sabe que essa alegação é uma besteira; talvez você apenas tenha receado dizer isso. O coração sabe o que sabe. Permita-me ou a qualquer número de testemunhas confiáveis lhe conceder a permissão de afirmar a verdade do sábio aforisma de Pascal: "O coração de fato tem razões que a própria razão desconhece". Você não tem de ficar no andar de cima dentro de sua cabeça. Desça daí, entre no seu coração, na sala de visitas, e experimente o amor de Deus. Como diz o apóstolo Paulo, deixe Cristo morar em seu coração pela fé (Ef 3.17). A fé não é um sentimento; a fé não é uma prova empírica. A fé é *ação* baseada naquilo que é revelado ao coração. Tome uma decisão e dê o que Kierkegaard chama de salto para a fé. (A frase correta não é um salto *de* fé, mas um salto *para* a fé.) Com isso, Kierkegaard quer dizer que a fé cristã é a *decisão* de *agir* imitando Jesus Cristo porque em seu coração você sabe que isso é o certo. Veja como Kierkegaard explica isso:

> Sem uma vida de imitação, de seguir Cristo, é impossível conseguir o domínio sobre as dúvidas. Não podemos deter as dúvidas com razões. Os que tentam isso não aprenderam que é um esforço perdido. [...] O Salvador do mundo não veio trazer uma doutrina; ele nunca lecionou. Não tentou, mediante raciocínios, convencer ninguém a aceitar seu ensinamento. [...] Se alguém quis ser seu seguidor, ele disse a essa pessoa algo assim: "Arrisque-se a praticar uma ação decisiva; depois você pode começar, depois você vai saber". [...] Essa é a única prova da verdade do que ele representa: "Se alguém agir de acordo

com o que eu digo, essa pessoa experimentará se estou falando por minha conta". [...] Sim, a dúvida vai surgir, mesmo para quem segue Cristo. Mas a única pessoa que tem o direito de saltar para a frente mesmo estando em dúvida é alguém cuja vida carrega as marcas da imitação, alguém que com uma ação decisiva pelo menos tenta ir tão longe que tornar-se cristão ainda é uma possibilidade. Todos os outros devem calar-se; eles não têm o direito de pronunciar uma palavra sobre o cristianismo; muito menos *contra*.[7]

Levar uma vida cristã é, inerentemente, uma aventura arriscada. Basear o roteiro de sua vida numa tentativa de seguir Jesus implica apostar ou que Jesus é o Senhor ou que você está desperdiçando sua vida. Paulo disse isso desta maneira: "E, se Cristo não ressuscitou, a fé que vocês têm é inútil. [...] Se nossa esperança em Cristo vale apenas para esta vida, somos os mais dignos de pena em todo o mundo" (1Co 15.17,19). Pois a verdadeira fé cristã não implica apenas acalentar uma opinião teológica específica, mas também viver concretamente uma vida; as apostas são grandes. Trata-se, porém, de um risco que o cristianismo exige. Comentando sobre o salto para a fé de Kierkegaard, o estudioso de Kierkegaard Charles E. Moore escreve:

> A fé, portanto, exige um salto. Não é uma questão de estimular a vontade a acreditar em algo para o qual não há provas, mas de um salto de comprometimento. "O salto é um tipo de decisão" — a decisão de entregar totalmente o próprio ser a um Deus cuja existência é racionalmente incerta e cuja redenção é uma absoluta ofensa. É por isso que, segundo Kierkegaard, todas as provas da existência de Deus e da divindade de Cristo fracassam. Tentar provar a existência de Deus mediante um ponto de

vista puramente neutro, objetivo é totalmente despropositado. [...] Pelo contrário, Deus se dá a conhecer mediante um apaixonado, total comprometimento.[8]

Pêssegos e leões

Nós aceitamos a mentira de que o modo de encontrar a verdade é ser sempre objetivo (como se essa objetividade fosse sequer possível). Não! Toda verdade é inerente à subjetividade ou existe nela. A única verdade que importa é a verdade que você experimenta pessoalmente.[9] Jesus é a Verdade, não devido às opiniões que ele objetivamente tinha em sua cabeça, mas devido à vida que viveu. A fé consiste na decisão de agir segundo a verdade apreendida em seu coração. Quando Jesus inicialmente se revelou a mim quando eu tinha quinze anos de idade, comecei a viver uma vida diferente — somente isso pode ser chamado fé. A fé não consiste em produzir em nosso pensamento uma sensação de certeza acerca de Deus. Se tudo o que fazemos na vida é *pensar* em Deus, vamos acabar sobrecarregados de dúvidas. A prática de *somente* pensar em Deus é uma incubadora do ateísmo. Encontramos Cristo primeiramente na revelação e depois, em resposta a essa revelação, nós *adoramos* Cristo, *obedecemos* a Cristo, *seguimos* Cristo — somente isso é fé. Quando procuramos entender e explicar o que encontramos, isso é teologia — fé em busca de entendimento. Mas a teologia deve estar enraizada na ação da fé que procura adorar e obedecer a Deus concretamente. Se só nos aproximamos de Deus objetivamente ou academicamente, jamais conheceremos realmente Deus e nossa teologia será equivocada e enganosa. Talvez uma ilustração possa ajudar.

Suponha uma pessoa que é o maior perito em pêssegos do mundo. Ele sabe tudo o que se pode aprender objetivamente sobre pêssegos — seus gêneros, os subgêneros, as espécies, as árvores que os produzem, sua história, o cultivo e as variedades, até mesmo o sequenciamento do DNA deles. Imagine que esse homem (vamos chamá-lo Dr. Prunus Persica) escreveu dezenas de trabalhos eruditos sobre pêssegos, fez inúmeras palestras em universidades sobre pêssegos e recebeu numerosos prêmios acadêmicos por sua obra sobre o entendimento científico dos pêssegos. Ninguém sabe mais sobre pêssegos do que o Dr. Persica. Mas agora imagine que, por alguma razão bizarra, inexplicável, o Dr. Persica nunca tenha de fato *comido* um pêssego.

Será que o Dr. Persica *realmente* sabe mais sobre pêssegos do que uma criança que comeu um pêssego? A verdade real — a verdade que importa — sobre pêssegos é conhecida mediante uma experiência subjetiva. É bonito e até recomendável ter um conhecimento acadêmico objetivo sobre pêssegos, mas não é *para isso* que os pêssegos existem. A finalidade dos pêssegos não é serem estudados, mas serem comidos e desfrutados. O Dr. Persica pode falar com mais erudição sobre pêssegos, mas é a menina de três anos de idade que come um perfeito pêssego da Geórgia em julho que realmente *conhece* os pêssegos! Tentar conhecer Deus *objetivamente* — totalmente a sós dentro de sua cabeça — é como tentar conhecer os pêssegos sem comê-los.

O salmista escreve: "Oh! Provai e vede que o Senhor é bom!" (Sl 34.8, RA). *Oh* é a palavra da subjetividade — ela indica que nós sentimos alguma coisa, que experimentamos alguma coisa. O teólogo que escreve sobre Deus, mas nunca exclama *Oh, Deus* em oração não é um teólogo no qual estou interessado. O apóstolo Paulo nunca é mais teólogo do que no discurso de três capítulos sobre eleição em Romanos 9—11. Paulo resume sua densa argumentação teológica dizendo: "Deus encerrou a todos na desobediência, a fim de usar de misericórdia para com todos" (Rm 11.32, RA). Mas depois Paulo irrompe numa extática doxologia: "Ó profundidade da riqueza, tanto da sabedoria como do conhecimento de Deus!" (Rm 11.33, RA). Paulo tem o rigoroso intelecto objetivo de um grande teólogo, mas também tem o subjetivo Ó de alguém que realmente experimenta Deus. A teologia objetiva de Paulo, que ele confia ao pergaminho, no final das contas vive e se move e tem sua razão de ser na experiência subjetiva.

Falamos de pêssegos, passemos agora para os leões. Quando se trata de Deus (e sempre se trata dele!), tentar conhecer Deus objetivamente é como nós procuramos ser cuidadosos e evitar o risco. Isso equivale às barras de aço da jaula do leão no zoológico. Vamos ao zoológico, vemos os leões, podemos ficar impressionados, mas há pouca emoção genuína porque sabemos que estamos perfeitamente seguros. Nós nunca de fato vamos nos encontrar com os leões. Mas acariciar um leão é uma experiência inteiramente nova! Você não pode acariciar um leão e ser objetivo acerca disso. Eu *já* acariciei um leão macho adulto — é uma experiência que não vou esquecer!

Aqui está meu ponto: a teologia acadêmica *pode* ser como as barras da jaula do leão — ela mantém nossa experiência de Deus objetiva, prosaica, segura, complacente. Digo isso como alguém que aprecia profundamente a teologia acadêmica. Li centenas de obras teológicas acadêmicas e, ocasionalmente, dou palestras em ambientes acadêmicos. Vejo essas coisas como esforços preciosos. Mas nenhuma delas deve ser confundida com a experiência de encontrar Deus subjetivamente. A experiência subjetiva com o divino é um fenômeno que ocorre dentro de um coração que está aberto para Deus: "Felizes os que têm coração puro, pois verão a Deus" (Mt 5.8). O intelecto, contudo, *pode* ser empregado como as barras de aço que nos mantêm a uma distância segura do leão.

O famoso Seminário sobre Jesus [Jesus Seminar] é um grupo acadêmico composto por estudiosos da Bíblia que se reúnem para definir quais versículos dos evangelhos refletem as palavras e os feitos históricos do Jesus histórico. Fazem isso mediante o uso de contas coloridas — vermelhas, rosadas, cinzentas, pretas. Vermelho significa "com certeza" e preto significa "nem pensar". Rosado e cinzento situam-se em algum ponto entre os dois extremos. Bem, os membros do Seminário sobre Jesus podem votar com suas contas se Jesus pregou ou não o Sermão do Monte, ou ressuscitou dentre os mortos, mas isso é apenas tentar enjaular o leão. As barras de aço (ou as contas coloridas) da alegada objetividade nos mantêm a uma distância segura daquilo que as palavras e feitos de Jesus exigem de nós.

O Seminário sobre Jesus segue a orientação do filósofo alemão Gotthold Lessing, que pensava que o distanciamento histórico nos impede de encontrar Jesus Cristo. Lessing denominou esse distanciamento histórico "a larga e desagradável vala". Mas barras de aço, contas coloridas e largas e desagradáveis valas são apenas maneiras de manter Jesus a uma segura distância "objetiva". Se você quer honestamente encontrar Jesus, aqui está o que eu recomendo: leia os evangelhos de joelhos durante seis meses, pedindo a Jesus, antes de cada capítulo, que ele se revele a você. É sério, tente isso. Não se surpreenda se, no devido tempo, você se encontrar dentro da jaula face a face com o Leão de Judá. Então você terá de decidir o que fazer de sua vida agora depois que entrou no guarda-roupa, chegou a Nárnia e encontrou o verdadeiro Aslam.

Jesus deixa claro que a única maneira de saber se seu ensinamento vem de Deus é uma decisão de agir. "Quem quiser fazer a vontade de Deus saberá se meu ensino vem dele ou se falo por mim mesmo" (Jo 7.17). Você nunca saberá se Jesus é o caminho, a verdade e a vida ficando sentado sozinho no andar de cima de sua cabeça pensando sobre isso. Você precisa agir com base nisso. É assim que você salta por sobre a vala de Lessing. E precisamente nisso que consiste o salto para a fé. Kierkegaard conhecia a vala de Lessing, e também sabia como chegar ao outro lado. Saltar!

Em *Unfading Light* [Luz imperecível], o altamente criativo e influente teólogo ortodoxo Sergius Bulgakov, depois de um prolongado período como ateu marxista, lindamente descreve seu retorno à fé cristã como um salto para a fé:

> Em minhas lutas e dúvidas teóricas, um único lema, uma esperança secreta, agora soava em mim ainda mais claro — a pergunta *E se?* E o que começou a queimar em minha alma pela primeira vez desde os dias do Cáucaso tornou-se ainda mais imperioso e radiante; mas o ponto principal era ainda mais definido: eu não precisava de uma ideia "filosófica" da divindade, mas de uma fé viva, em Cristo e na igreja. *Se* é verdade que existe um Deus, isso *significa* que tudo o que me foi transmitido na infância mas que depois eu tinha abandonado é verdade. Esse foi o silogismo semiconsciente que minha alma fez: nada... ou tudo até a última vela, a última pequena imagem. E o trabalho de minha alma prosseguiu sem parar, invisível para o mundo e incerto até para mim. O que aconteceu numa invernal rua de

Moscou, numa praça abarrotada, é memorável — de repente uma milagrosa chama de fé começou a arder em minha alma, meu coração acelerou-se, lágrimas de alegria ofuscaram meus olhos. Em minha alma "a vontade de acreditar" amadureceu, a resolução final de dar o salto para a outra margem, tão insensata para a sabedoria do mundo, do marxismo e de todos os -ismos decorrentes dele para... a ortodoxia. Ah, sim, é claro que é um salto, para a felicidade e alegria; um abismo se instala entre as duas margens. Eu *tinha de* saltar.[10]

Treze anos antes de ler o relato de Sergius Bulgakov de seu salto para a fé, eu tive uma experiência semelhante. Tinha chegado a um ponto na meia-idade em que ou eu ia ceder à complacência espiritual ou devia fazer algumas decisivas e arriscadas mudanças para viver uma vida de apaixonado comprometimento com Cristo. Durante esse tempo, escrevi um poema que intitulei "SALTE!". Quando se pretende comunicar a natureza de uma experiência espiritual, a poesia é às vezes um veículo mais confiável do que a prosa.

SALTE!
Devo prosseguir sendo descuidado e entorpecido?
Fingindo
Fingindo saber algo sobre esse ser que tão rotineiramente chamo
    Deus
Ou devo ousar encontrar-me com Ele?
Ele
Aquele com quem eu tenho a ver
Aquele que nunca pode ser um objeto
Para todo o sempre o eterno sujeito
Será ele a gramática ou uma verdade mais profunda?
O objeto sofre a ação, mas o sujeito age

Deus não está na minha história — eu estou na dele
Como posso não ter consciência disso?
Será que julguei invenção minha essa história chamada ser?
Com certeza não sou tão maluco
Eu pertenço à história dele
História
Mas existe a minha história
Mistério
Deus não é nenhum objeto — unicamente e sempre um sujeito
O sujeito
Você não pode banalizar O Sujeito numa -ologia ou num -ismo
Você só pode ser consciente ou negligente
Em relação Àquele que possui a inata natureza de ser
A mais óbvia de todas as verdades
Mas toda verdade é inerente à subjetividade
Ah!
A subjetividade
Onde a paixão é permitida
Onde estamos na história
Onde nos preocupamos
Em vez de ficar indiferentes e confortavelmente entorpecidos
A subjetividade é paixão
A fé é paixão
A vida é paixão
A sanidade é paixão
A objetividade é torpor
O empirismo é torpor
A morte é torpor
A loucura é torpor
A paixão salva
Minha alma

Do torpor
Prosa
Prozac
Prosaico
Ordinário
Medicinal
Sem imaginação
Ser sem paixão
A paixão salva
Poético profético extraordinário imaginativo
Ser apaixonado
A paixão salva
Crer é estar apaixonado
A paixão se acha no instante do salto
Quando você salta para além da cerca
(Objetividade)
Para a presença do Leão
(Subjetividade)
Será que ele vai matar você ou deixar você viver?
De um jeito ou de outro você está vivo naquele momento
Você não está frio ou "frio"
Frio é sem paixão e "frio" é autoconsciente
Naquele momento você não está nem assim nem assado
Você está apaixonado e comprometido
SALTE!
Sobre a barra de segurança da objetividade
Para a presença do Ser em Si Mesmo
É sua única esperança de salvar sua vida
A lepra não é o que você pensa que é
Ela não come você
É apenas torpor

Mas o torpor vai destruir você
SALTE!
Antes que seja tarde demais
Antes que a lepra leve embora suas pernas
Antes que o progressivo torpor leve embora sua alma
SALTE!
O salto para a fé
Que pula por cima do objetivo
Para encontrar o Sujeito
Onde vive a paixão
Porque agora não há nada entre você e o Leão
E você sabe que vive porque sente o coração palpitar
E você sabe que vive porque Ele permite que você viva
Chega de torpor
A paixão salva
SALTE!

PARTE II

Fé que surge das cinzas

9
Um místico ou absolutamente nada

....

*O devoto cristão do futuro será um "místico",
alguém que "experimentou" algo,
ou então não será absolutamente nada.*

KARL RAHNER, "A VIDA CRISTÃ ONTEM E HOJE"

Em 1971, três séculos depois que Blaise Pascal observou que o coração tem razões que a própria razão desconhece, Karl Rahner, um sacerdote e teólogo católico alemão, previu que o cristão do futuro será um místico ou então não será absolutamente nada. Com o termo "místico" nós simplesmente nos referimos a uma pessoa que busca atingir em certo nível *uma experiência direta com o mistério de Deus*. E Karl Rahner estava certo acerca do futuro do cristianismo estar nas mãos dos místicos. Meio século mais tarde, sua profecia parece mais presciente do que nunca.

A religião que reside unicamente no intelecto é incapaz de sustentar a fé em nossa época desiludida. Numa época secular, ou o cristão será um místico ou não será absolutamente nada. O *tsunami* de secularismo que açoita a Europa ocidental e a América do Norte não diminuirá num futuro próximo. Essa crise espiritual não será superada por uma apologética inteligente ou pelas equivocadas guerras culturais ou pela busca extenuante de um passado irrecuperável. Se a fé cristã conseguir sobreviver ao *tsunami* do secularismo, será porque os cristãos têm sua *experiência* pessoal com Deus. A fé do futuro será sustentada por uma experiência, não por uma argumentação. Como diz o velho ditado, uma pessoa com experiência não está à mercê de outra pessoa que apresenta argumentos. Por sermos todos filhos de Deus criados à imagem de Deus, estamos todos habilitados a experimentar Deus. A experiência de Deus é uma possibilidade inerente à nossa natureza. Os pássaros conseguem voar, os peixes conseguem nadar e os humanos conseguem experimentar Deus. É possível encontrar e experimentar Deus e usufruir dele, que nos criou e nos ama. Podemos todos ser místicos — para isso fomos criados. Místicos famosos como Francisco de Assis, Hildegarda de Bingen, Juliana de Norwich, Teresa de Ávila, João da Cruz e Thomas Merton foram sábios espirituais. Mas também são testemunhas e guias confiáveis para aquilo que, em certa medida, é acessível a todos nós. Em 1970, a Igreja Católica Romana declarou Teresa de Ávila Doutora da Igreja — alguém que fez uma importante contribuição para a teologia e é tida como especialmente confiável. Declarar essa freira carmelita e mística espanhola do século 16 Doutora da Igreja foi uma importante afirmação da teologia do misticismo cristão. Por ocasião desse evento, Karl Rahner disse: "Teresa é proclamada professora do misticismo. Isso significa, em primeiro lugar, que uma pessoa que ensina algo sobre o misticismo está fazendo teologia, está falando à luz da revelação, dizendo algo para a igreja como quem ensina visando a edificação dos fiéis".[1]

Não é por acaso que Teresa foi declarada Doutora da Igreja ao mesmo tempo que o movimento carismático estava se alastrando pelas igrejas católicas e protestantes mundo afora. Karl Rahner afirmativamente descreve o movimento carismático como um "misticismo para as massas".[2] O cristianismo carismático foi um movimento em que línguas, profecias, visões, curas e cultos animados eram experiências espirituais normativas. O movimento carismático foi uma nova rajada de vento que varreu a poeira e as teias de aranha de uma igreja moribunda.

Um dos mais extraordinários aspectos do movimento carismático foi o modo como ele foi experimentado do começo ao fim de todo o espectro ecumênico. Minhas raízes espirituais estão no Movimento de Jesus e na renovação carismática dos anos de 1970. Lembro-me bem da emoção de descobrir esse "misticismo para as massas". Lembro-me bem de católicos e batistas alegremente participando dos mesmos encontros carismáticos. Em julho de 1977, cinquenta mil pessoas de todas as facetas do corpo de Cristo participaram da Conferência de Renovação Carismática celebrada no Estádio Arrowhead em Kansas City, Missouri. No mundo inteiro, milhões de pessoas, para as quais o cristianismo era pouco mais que uma identidade nominal ou um dever tedioso, de repente foram tomadas pelo Espírito Santo, descobrindo um cristianismo caracterizado pela alegria e o entusiasmo de experimentar Deus concretamente. Sim, o movimento foi turbulento e desajeitado e, como sempre acontece com movimentos desse tipo, houve excessos. Mas, de uma forma geral, o movimento carismático resgatou o cristianismo para milhões de pessoas que estavam à beira de aceitar a acusação de que o cristianismo nada mais era do que uma arcana relíquia do passado.

O declínio e fim do movimento carismático — pelo menos no âmbito do mundo protestante — não se deu devido a seus excessos ocasionalmente bobos, mas devido a sua capitulação diante do consumismo americano na forma de evangelho da prosperidade propagado por celebridades televangélicas.

Quando o movimento carismático passou a tratar mais de dinheiro do que de milagres, o Espírito Santo foi embora, e o movimento decaiu. Durante certo tempo, porém, ele foi uma sadia e maravilhosa experiência de constatar o misticismo como algo atingível e normativo. É esse tipo de misticismo que devemos perseguir.

O misticismo não é um movimente extravagante e atípico situado na margem do cristianismo, como também não é o domínio exclusivo de uma elite. A vida mística é a vida cristã normal. No nascimento da igreja no dia de Pentecostes, "Todos ficaram cheios do Espírito Santo e começaram a falar em outras línguas, conforme o Espírito os habilitava" (At 2.4). Na conclusão de seu sermão de Pentecostes, o apóstolo Pedro disse à multidão reunida que a experiência do Espírito Santo era para todos: "Essa promessa é para vocês, para seus filhos e para os que estão longe, isto é, para todos que forem chamados pelo Senhor, nosso Deus" (At 2.39). Para vocês, para todos, para cada um. Desde seu exato início, o cristianismo tem considerado a experiência mística do Espírito algo universalmente disponível. Ninguém que estudou os primórdios do surgimento do cristianismo pode negar que a experiência carismática entre as pessoas comuns foi um componente-chave para o seu improvável sucesso. E é preciso ressaltar que hoje o cristianismo pentecostal é sem dúvida a expressão do cristianismo global que mais depressa se propaga.

À medida que a cultura ocidental velozmente se afasta do sagrado e do sacramental rumo ao secular e ao tecnológico, ela deixa para trás massas da humanidade que anseiam por algum tipo de experiência transcendente capaz de nos alertar para a verdade de que a vida tem um significado e propósito. Comentando a visão do misticismo de Karl Rahner, a tradutora desse autor Annemarie Kidder escreve: "O misticismo ajuda a recuperar a presença de Deus no mundo e na vida no dia a dia; torna inteligível a experiência pessoal com Deus, desmascara falsas experiências com Deus, e deixa a presença de Deus emergir onde ela foi talvez negligenciada ou ignorada".[3]

Poderíamos tentar parafrasear a observação de Karl Rahner e afirmar que o cristão do futuro será pelo menos um pouco pentecostal. O misticismo cristão não está enraizado na espiritualidade da Nova Era, mas sim na experiência pentecostal relatada no segundo capítulo de Atos.

Místicos na Bíblia

A Bíblia em si é um livro místico — produzido por místicos judeus e cristãos repletos do Espírito Santo. Os textos que se tornaram as Sagradas Escrituras não são provenientes de pessoas que apenas *refletiram* sobre Deus, mas de pessoas que tiveram uma *experiência* direta com Deus. Aqueles que escreveram a Bíblia não eram estudiosos, eram místicos. É significativo observar que *todas* as figuras mais importantes da Bíblia são homens e mulheres com histórias de experiências místicas.

Abraão foi um místico que reconheceu a voz de Deus e seguiu essa voz afastando-se dos taciturnos ídolos da Caldeia e passando a ter um relacionamento com o Deus vivo. Esse místico tornou-se o pai da fé.

Jacó foi um místico que lutou com Deus e ganhou uma nova identidade. O místico recebeu o místico nome de Israel — aquele que luta com Deus e prevalece.

Moisés foi um místico cuja vida foi mudada quando ele percebeu Deus num arbusto em chamas devido à presença divina e subiu o monte Sinai para conversar com Deus face a face. Esse místico libertou o povo de Israel.

Davi foi um místico. Aquele que foi chamado "um homem segundo o coração de Deus" (1Sm 13.14) não foi o feroz guerreiro, mas o místico salmista. O místico foi o rei justo que escreveu salmos às margens de riachos ao luar.

Elias foi um místico — o profeta arquetípico que ouve Deus e fala por ele. Esse místico que desafiou os profetas de Baal é o apogeu da tradição profética hebraica.

Maria, mãe de Jesus, foi uma mulher mística que teve o supremo encontro direto com Deus. Essa mística deu um corpo ao Logos e tornou-se a *Theotokos* — "a portadora de Deus".

Pedro foi um místico que foi o primeiro discípulo a receber a revelação de que Jesus é o Cristo, o Filho do Deus vivo. Esse místico, com as chaves do reino, abriu as portas da salvação para os mundos judeu e gentio.

João foi um místico que repousou sua cabeça sobre o peito de Jesus na Última Ceia e auscultou o palpitar do coração divino. Esse místico nos deu a culminação do misticismo teológico em seu evangelho.

Maria Madalena foi uma mística libertada de sete demônios que seguiu Jesus mais fielmente que qualquer outro discípulo. Essa mística foi a primeira a encontrar o Cristo ressuscitado e tornou-se a apóstola dos apóstolos.

Paulo foi um místico que recebeu seu evangelho mediante um encontro direto com o Cristo ressuscitado. Esse místico tornou-se o mais bem-sucedido apóstolo e o mais importante teólogo da história do cristianismo.

Esses místicos bíblicos podem ser excepcionais por suas contribuições únicas, mas também são modelos para todos nós. Nós também podemos ser místicos que se encontram com

Deus, seguem Deus, lutam com Deus, falam com Deus e falam de Deus, compõem orações, abrem novas portas, ouvem o palpitar do coração divino, proclamam o evangelho e, mais importante de tudo, dão um corpo à Palavra de Deus em sua própria vida. As experiências místicas não são estranhas à tradição bíblica; pelo contrário, são a norma na tradição bíblica. Esses místicos achados nas Escrituras — e eu só mencionei dez, há muitos outros — são testemunhas da possibilidade da experiência mística em nossa vida. Se nos limitamos a ler sobre o Pai Abraão e o Rei Davi, a Virgem Maria e Maria Madalena e nunca abrimos o coração para nossas próprias experiências, nós nos tornamos leitores da história, em vez de pessoas que procuram Deus. A Bíblia não está apenas nos dando informações; está indicando portais que podem nos levar a ter nossas próprias experiências. Os místicos cristãos do futuro se relacionarão com os patriarcas e matriarcas bíblicos, com os apóstolos e profetas, porque do jeito deles terão tido experiências similares.

Experiências pessoais com o místico

O objetivo de práticas espirituais como a oração, o culto, a leitura da Escritura e outras semelhantes é conseguir uma formação adequada como seres que carregam a *imago Dei*, a imagem de Deus. Assim, o principal propósito da oração não é induzir Deus a fazer o que queremos que ele faça, mas é sermos apropriadamente formados — para nos tornarmos a pessoa que Deus nos criou para sermos. Na minha vida pessoal, eu me formei espiritual e teologicamente em uma medida impressionante por meio de experiências místicas.

A teologia acadêmica e a mística espiritual não precisam opor-se entre si; são de fato inteiramente compatíveis. Com o passar dos anos, esforcei-me para me familiarizar o máximo possível com a longa história da teologia cristã, e estou convencido de que minha teologia se desenvolveu dentro dos limites da ortodoxia histórica, mas também atesto que minha formação espiritual foi moldada tanto por experiências místicas quanto por estudos teológicos. Quando falo de experiências místicas, estou me referindo a aproximadamente duas dezenas de experiências espalhadas por um período de mais de quarenta e cinco anos. Embora não sejam ocorrências comuns, elas exerceram uma influência extraordinária em minha trajetória de vida.

A primeira experiência foi encontrar a presença de Jesus em meu quarto na forma de uma luz pura na noite de 9 de novembro de 1974. Outra experiência foi acordar uma noite falando em línguas — quando eu não acreditava em falar em línguas! Uma foi uma palavra de fé depois de receber um sombrio diagnóstico médico quando eu tinha dezoito anos. Outra experiência é o que chamo de uma presença angelical quando me envolvi num acidente de carro. Seis dessas experiências foram sonhos — uma delas, um sonho recorrente.

É óbvio que tive inúmeros sonhos que talvez tiveram alguma importância espiritual quando aconteceram, mas de seis deles nunca me esqueci. Todos os seis ou me ajudaram a esclarecer um problema teológico com o qual eu estava me debatendo ou me encorajaram durante um período difícil. Num dos sonhos, experimentei minha morte e tive um vislumbre do mundo além da morte. Foi pacífico e confortante. Em outro sonho, Jesus me apareceu. Foi tão forte, tão real e tão significativo que não consigo descrevê-lo como um sonho *sobre* Jesus, mas sim como Jesus *aparecendo-me* em sonho. Um foi sobre um pecado que eu havia cometido anos antes

— um pecado que eu nem sequer sabia que era pecado. Isso provocou em mim um profundo arrependimento e mudança crítica em minha teologia acerca da participação cristã em guerras.[4] Algumas experiências aconteceram enquanto eu estava sentado com Jesus numa oração contemplativa. Elas me ajudaram a enxergar situações e adversários difíceis à luz do amor transformador de Jesus.

Não acho que minhas experiências com o mundo místico são raras ou excepcionais; acho que a *maioria* das pessoas tem experiências semelhantes. Mas talvez tenhamos sido condicionados pelo empirismo secular ou religioso a ignorar ou negar essas experiências. Talvez precisemos simplesmente ser mais abertos a experiências espirituais e prestar mais atenção a como Deus está presente em nossa vida. A oração contemplativa consiste em grande parte em prestar atenção a Deus de forma profunda e deliberada. Isso é indispensável porque vivemos numa época espiritualmente tão perturbada.

A maior categoria de experiências místicas é constituída por palavras do Senhor — algumas delas encontram-se nas Escrituras, algumas outras não. Palavras como:

- Não vou morrer, mas viver e proclamar as obras do Senhor.
- Acredito que verei a bondade de Deus na terra dos vivos.
- Pregue a fé, e sua igreja crescerá.
- Eu vou ajudar você.
- Venha comigo.
- Essa é a maior de todas as maravilhas: a Palavra tornou-se carne.
- Leia este livro.

- Cruz, Mistério, Ecletismo, Comunidade, Revolução.
- Preste atenção a cada crucifixo e faça esta pergunta: O que isso significa?
- Numa experiência não houve nenhuma palavra, mas ouvi o Senhor rir.

Esses dez oráculos não contêm nem oitenta palavras ao todo — são palavras, frases, no máximo pequenas sentenças. Algumas delas aconteceram como trovões em minha alma, outras como sussurros. Não são elocuções longas; não são profecias nem epístolas. Mas essas palavras exerceram uma influência quase incalculável no decorrer de minha vida, meu ministério e minha teologia. Entendo que os duvidosos não vão se impressionar, descartando minhas experiências místicas como nada mais do que alguns pensamentos em minha cabeça. Essas experiências, contudo, não foram meros pensamentos ou ideias. Tenho pensamentos e ideias o tempo todo; sei como é aquela experiência comum de cada dia. Essas experiências não foram assim. Essas palavras não se originaram em meu pensar; chegaram até mim de algum outro lugar. Não são pensamentos passageiros que surgiram e sumiram; são palavras de que nunca me esqueci. Esses oráculos não foram flores passageiras de minha imaginação. São palavras inspiradas provenientes de fora, que entraram em mim e agora são parte permanente de quem eu sou. Essas palavras nunca desapareceram. "O capim seca e as flores murcham, mas a palavra de nosso Deus permanece para sempre" (Is 40.8).

Em alguns desses casos, talvez na maioria, eu não entendi plenamente na época como eram importantes essas palavras. Foi só com o passar do tempo, quando essas palavras calaram fundo em minha alma e começaram a criar raízes e acabaram produzindo frutos que me dei conta de como eram especiais. Um pensamento gerado humanamente e uma palavra inspirada divinamente — é óbvio que não são a mesma coisa. "As palavras do S‌ENHOR são palavras puras, prata refinada em cadinho de barro" (Sl 12.6, RA). Uma palavra de Deus pode mudar sua vida para sempre. Com o tempo a gente aprende a diferença entre uma palavra que tem origem em nossa cabeça e uma palavra que verdadeiramente vem do Senhor. O profeta Isaías, falando em nome de Javé, diz:

> "Meus pensamentos são muito diferentes dos seus", diz o S‌ENHOR,
> "e meus caminhos vão muito além de seus caminhos.
> Pois, assim como os céus são mais altos que a terra,
> meus caminhos são mais altos que seus caminhos,
> e meus pensamentos, mais altos que seus pensamentos.
> A chuva e a neve descem dos céus
> e na terra permanecem até regá-la.
> Fazem brotar os cereais
> e produzem sementes para o agricultor
> e pão para os famintos.
> O mesmo acontece à minha palavra:
> eu a envio, e ela sempre produz frutos.
> Ela fará o que desejo
> e prosperará aonde quer que eu a enviar."
>
> Isaías 55.8-11

Às vezes a palavra do Senhor chega até nós como chuva, e imediatamente nos traz alento. Outras vezes a palavra do Senhor vem como neve e é só depois, quando com o passar do tempo a neve começa a derreter-se, que nós experimentamos a influência da palavra enviada do céu. Seja como chuva seja como neve, sou muitíssimo grato a Deus por essas palavras mais preciosas que ouro que me foram concedidas ao longo de minha vida. Elas me curaram, me ajudaram, me incentivaram, me mantiveram em minha vocação, me conduziram para novos caminhos e me proporcionaram novas e melhores maneiras de pensar sobre Deus. Onde me encontro hoje — espiritual e teologicamente — não é apenas o resultado da leitura de boas obras teológicas (embora isso seja importante) mas é também o resultado de palavras oportunas provindas do céu, recebidas num momento místico que me puseram no caminho certo. "[...] e seus ouvidos o ouvirão. Uma voz atrás de vocês dirá: 'Este é o caminho pelo qual devem andar'" (Is 30.21).

Faço alusão a algumas de minhas experiências místicas não para fazer uma alegação ao elitismo espiritual, mas para dar testemunho da normalidade dessas experiências. Acredito que a maioria dos cristãos já teve experiências semelhantes, mas, na modernidade, fomos condicionados a relutar em falar delas para evitar embaraços diante de nossos amigos seculares e céticos. Nós deveríamos nos livrar desse embaraço.

Não estou defendendo o fanatismo religioso (que é uma doença) ou encorajando a ostentação espiritual (que *deve* nos embaraçar); estou apenas afirmando que um testemunho pessoal de uma experiência direta com Deus não é nenhum motivo de constrangimento. Descobri que a maioria das pessoas se interessa pelas histórias de nossa experiência com o divino. A maioria das pessoas espera poder ter uma experiência com Deus, e nossos testemunhos de experiências místicas avivam essa esperança.

Para aqueles que esperam ter experiências místicas, eu tenho alguns conselhos. Primeiro, não procure uma experiência mística; procure Deus. Nunca tive uma experiência mística mediante a procura de uma experiência mística. Deixe que Deus seja Deus, e não transforme suas experiências místicas em ídolos. Procurar experiências místicas é flertar com a idolatria que muitas vezes conduz a fenômenos destrutivos de ilusão espiritual e fanatismo religioso. Vi isso acontecer. As experiências místicas que tive sempre aconteceram como surpresas; ocorreram durante períodos em que eu estava ansiando por Deus e o buscava. O coração ansioso do salmista é a alma do místico.

> Como a corça anseia pelas correntes de água,
> assim minha alma anseia por ti, ó Deus.
> Tenho sede de Deus, do Deus vivo;
> quando poderei estar na presença dele?
>
> Salmos 42.1-2

Deus promete: "Se me buscarem de todo o coração, me encontrarão" (Jr 29.13). Procure Deus, não uma experiência. Esteja aberto a experiências místicas, mas não corra atrás delas. Em vez de concentrar-se em experiências místicas, concentre-se na formação espiritual. Através de práticas como a leitura disciplinada da Bíblia, a oração litúrgica, a oração de formação, a oração de escuta, a oração contemplativa, a leitura espiritual e a orientação espiritual, nós formamos nossa alma de maneiras sadias e aumentamos nossa capacidade de experimentar Deus. O coração, o órgão espiritual para experimentar Deus, pode ser obtuso e insensível ou delicado e alerta. Com práticas espirituais sábias, mantemos nosso coração sadio e capaz de experimentar Deus.

Os cristãos deveriam considerar as experiências místicas como normativas e até aguardá-las; mas elas não podem ser agendadas por ninguém. Sair para um retiro espiritual dizendo que "vou ter uma experiência mística neste fim de semana" quase sempre termina em decepção. Busque Deus e deixe-se surpreender pelo tempo dele. E não espere que as experiências místicas de outros sejam sua experiência. Podemos ler sobre as "aparições" de Juliana de Norwich ou os estigmas de Francisco de Assis, mas essas foram experiências místicas deles, não são nossas. Acho lindo que Deus se revele a cada indivíduo de maneiras únicas. Dizem que não há dois místicos exatamente iguais — o que essencialmente é a mesma coisa que dizer que não existem duas pessoas exatamente iguais. O Deus infinito que é nosso amoroso Pai/Mãe, embora consistente, relaciona-se com cada filho de uma forma especial e inimitável. Essa intimidade única é sugerida no Apocalipse quando Jesus diz que nos dará "um nome novo, que ninguém conhece, a não ser aquele que o recebe" (Ap 2.17).

Meu último conselho aos que esperam ser futuros místicos é que submetam todas as experiências místicas ao teste do tempo e da tradição. Se você teve uma experiência mística, não se apresse demais em falar dela. Espere um tempo. Quando Paulo alude a uma experiência de ser arrebatado ao céu, ele o faz na terceira pessoa e catorze anos depois do acontecimento (2Co 12.1-4). Uma suposta experiência mística que não foi mais do que um voo da fantasia desaparecerá nas névoas do tempo, mas um verdadeiro encontro com Deus é eterno como um diamante. Juntamente com o teste do tempo as experiências místicas cristãs devem encaixar-se nos limites generosos da tradição cristã. Eu suspeitaria muito de uma experiência mística que parecesse conflitar com a tradição cristã tal qual está exposta nas Escrituras, no credo e na ortodoxia histórica. Paulo precisou alertar os excessivamente carismáticos coríntios sobre isso quando lhes disse o que deveria ser óbvio: "ninguém que fala pelo Espírito de Deus amaldiçoa Jesus" (1Co 12.3). O tempo e a tradição quase sempre conseguem julgar a veracidade de uma experiência mística.

O cristão do futuro será um místico ou então não será absolutamente nada, disse Karl Rahner cinquenta anos atrás. E agora o futuro está aqui. Há uns quarenta anos, li um livro intitulado *O conhecimento de Deus*, mas quando olho para trás tantos anos depois, percebo que esse livro não trata realmente do conhecermos Deus, mas de conhecermos doutrinas *sobre* Deus — uma apresentação da teologia sistemática reformada. Sou totalmente a favor da teologia (embora às vezes algumas teologias sejam melhores que outras), mas por mais pura que nossa teologia possa ser, ela não é um sucedâneo para uma *experiência* concreta de Deus. A época futura que Rahner profetizou está personificada nas pessoas jovens. E sei por minha própria experiência de falar para pessoas jovens que a maioria delas não está inerentemente interessada em aprender teologia abstrata, mas quase todas estão interessadas na possibilidade de experimentar Deus. Se o cristianismo se limitar essencialmente a aprender doutrinas sobre Deus e aderir a códigos de comportamento, a maioria desses jovens não permanecerá cristã depois dos vinte anos. Mas, se o cristianismo tiver essencialmente a ver com *experimentar* o Deus vivente que é Pai, Filho e Espírito Santo, essas pessoas jovens podem ser levadas a abraçar um santo mistério que durará a vida toda. O cristianismo místico que estou defendendo é o guarda-roupa que conduz à Nárnia real.

AS ORAÇÕES DO SICÔMORO

O enorme sicômoro é mais velho que a combustão interna
Mais silencioso também
Eu o chamo minha árvore sicômoro
O que é engraçado
Porque com mais razão ele me chama seu ser humano
Eu o vi adoecer e o vi sarar
É uma velha árvore guerreira
Uma vez numa tempestade de granizo ele empalou o chão com
   uma lança
Zeus não poderia ter feito melhor
Não é uma árvore que tolera brincadeiras
Ele observou os Missouri caçando veados
Antes que houvesse casas por aqui
Agora ele me observa
Lendo e escrevendo livros
(Os Missouri eram mais interessantes)
Por duas décadas ele ficou de plantão
Enquanto eu pensava e pensava e pensava
E descobri um jeito melhor de pensar sobre Deus
E o sicômoro acha
Que não estou tão maluco como quando nos conhecemos
Pusemos um balanço no pórtico preso a seu galho mais forte
(O sicômoro não liga)
Este é o meu lugar favorito para orar
Acho que minhas orações ajudaram a curá-lo uma vez
E as orações do sicômoro me curaram
Mais de uma vez.

10
A graça da segunda ingenuidade

....

> *Mas um dia você será velho o suficiente*
> *para começar a ler contos de fadas de novo.*
>
> C. S. Lewis, Dedicado a Lucy Barfield,
> O LEÃO, A FEITICEIRA E O GUARDA-ROUPA

O filósofo do século 20 Paul Ricoeur cunhou a expressão *segunda ingenuidade* para expressar a possibilidade de um retorno à inocência depois de passar pelas chamas purificadoras do pensamento crítico. Ricoeur entendia que no caso de certos textos, especialmente textos religiosos, o significado não se exauria numa leitura crítica; além dela permanecia a possibilidade de um significado ulterior. Em algum ponto, o texto pode ser abordado de novo e lido com uma segunda inocência ou nova ingenuidade.

Esse fenômeno repercute em muitos cristãos que vivenciaram alguma forma de desconstrução ou um repensar crítico de sua fé e com alegria descobriram uma fé revitalizada do outro lado. Uma sadia desconstrução não é um fim em si mesmo, mas um estágio necessário, embora confuso, no caminho para algo melhor. A segunda ingenuidade é uma graça concedida e uma auspiciosa alternativa a uma desconstrução sem fim. Valendo-se de Ricoeur, Walter Brueggemann ressalta que "cada um dos filhos de Deus está em trânsito seguindo o fluxo de orientação, desorientação e reorientação".[1]

Não estamos buscando uma desorientação permanente, mas uma nova reorientação no âmbito da fé. É isso que é concedido por meio da graça da segunda ingenuidade.

Quando aplicamos a graça da segunda ingenuidade ao modo como lemos a Bíblia, podemos pensar em três estágios: leitura literal, leitura analítica e leitura mística. Quando crianças, lemos a Bíblia na simplicidade; lemos num nível literal. E não há nada de errado nisso. Se alguns podem continuar sentindo-se confortáveis com uma leitura literal da Bíblia — uma literal criação em seis dias, uma literal presença de Adão e Eva com uma literal serpente falante, Jonas na barriga de uma literal baleia, e assim por diante — não estou aqui para dissuadi-los disso. Não cabe a mim criar problemas ou forçar a desconstrução para outras pessoas. No entanto, em nosso mundo pós-Iluminismo, a maioria dos leitores da Bíblia mais cedo ou mais tarde não tem outra escolha a não ser abandonar o sentido literal na leitura. Assim aprendemos a abandonar os mitos da criação e a pletora de histórias do dilúvio no mundo antigo. Aprendemos o que uma análise literária revela sobre a construção da Bíblia. Aprendemos sobre a hipótese documental e a hipótese de uma fonte Q informando os evangelhos sinóticos. E aprendemos como submeter os dois Testamentos a uma leitura histórico-crítica. Para muitos de nós, essa é uma jornada necessária. E acho isso fascinante. Uma leitura analítica da Bíblia nunca pôs minha fé em perigo. Mas tampouco pretendo ficar nesse ponto para sempre. Uma leitura analítica da Bíblia deveria nos levar além de uma leitura literal rumo a uma leitura espiritual ou mística. Assim, por exemplo, depois que desconstruí uma leitura literal de Gênesis ou Josué, posso voltar àqueles livros e lê-los num nível muito mais profundo, não mais preocupado com contradições científicas ou uma suposta violência divina. Sei como ler analiticamente as narrativas de conquistas dos hebreus, usando os instrumentos do conhecimento moderno, que resolve alguns dos problemas, mas essa leitura acaba se exaurindo. Se atingirmos o ponto em que lemos a Bíblia *unicamente* através de uma lente histórico-crítica, ela no fim acaba deixando de ser a Palavra viva de Deus. Já não tem a capacidade de encantar e inspirar.

Repito, não tenho objeções contra uma leitura analítica da Bíblia, mas não a quero ler desse jeito para sempre. E, a menos que se trate de alguém que é um estudioso profissional do texto, duvido que alguém *leria* a Bíblia desse jeito para sempre; no fim se chega a um ponto onde não há mais novas leituras — o texto se exauriu, está morto e já não é significativo.

Uma leitura analítica da Bíblia não é um fim em si; é uma ponte sobre um abismo que vai do mundo finito do literalismo bíblico ao mundo infinito do misticismo bíblico. Um dos problemas de ambas as leituras da Bíblia, a literal e a analítica, é que ambas tendem a limitar o texto a um único significado, reduzindo assim sua capacidade de uma revelação contínua.

Anos atrás ouvi um sermão em que o pregador calculou quanta chuva era necessária por hora para cobrir o monte Everest em quarenta dias. (A resposta é bastante fantástica: 920 centímetros por hora!) Aplicar um método científico à leitura literal do dilúvio de Noé envolve, entre outras coisas, um enorme exercício de não entender a questão. A história de Noé diz respeito ao problema da crescente violência humana, não a um fenômeno meteorológico. Mas talvez seja apenas ligeiramente menos inútil não fazer nada mais com a história do que empenhar-se numa análise literal de Gênesis 6—8 numa comparação com a *Epopeia de Gilgamés*. Uma leitura é simplista, a outra é erudita, mas ambas vão dar num beco sem saída.

Uma leitura mística, porém, tem o potencial de infinitos desdobramentos da revelação contínua. E para que você não pense que esse é algum jeito novo ou liberal de ler a Bíblia, lembre-se de que esse era o jeito principal de ler e interpretar a Bíblia nos períodos apostólicos e patrísticos. Vemos isso em 1Pedro, onde a história de Noé é criativamente usada como uma representação do batismo (ver 1Pe 3.20-21). Um exemplo ainda melhor dessa espécie de jocosa criatividade que pode surgir numa leitura mística da Bíblia é o de Paulo, quando diz aos coríntios que os israelitas no deserto "beberam da rocha espiritual que os acompanhava, e essa rocha era Cristo" (1Co 10.4). De que está Paulo falando? Em Êxodo 17, no início de sua jornada de quarenta anos pelo deserto, Moisés extrai água da rocha no monte Horebe. Mais tarde, em Números 20, a história se repete com uma ligeira mudança. Paulo jocosamente imagina as duas histórias sobre a rocha que milagrosamente proporciona água a Israel no deserto e na essência diz: "Aquela rocha aparece duas vezes na Bíblia porque está seguindo Israel no deserto. E, sabem de uma coisa, aquela rocha era Cristo!". Será que isso significa que Paulo pensava que Cristo era *literalmente* uma rocha que vertia água e rastejava pelo deserto seguindo os israelitas? É claro que não. Paulo está trabalhando criativamente com o texto, transcendendo a "intenção autoral" e atribuindo novo significado a um texto antigo. Comentando a leitura mística e alegórica que Paulo faz da rocha no deserto, David Bentley Hart diz:

A GRAÇA DA SEGUNDA INGENUIDADE 173

Como deveria ser óbvio, Paulo com frequência alegoriza a escritura hebraica; a "leitura espiritual" da escritura típica dos Pais da Igreja dos primeiros séculos não foi uma invenção deles, nem simplesmente algo emprestado da cultura pagã, mas já era uma prática hermenêutica amplamente aprovada entre estudiosos judeus. Assim, não é nenhum anacronismo ler Paulo aqui dizendo que as histórias que ele está repetindo não são precisamente relatos históricos de acontecimentos concretos, mas sim narrativas alegóricas compostas para a edificação dos leitores.[2]

Fechando o círculo

Há muito tempo abandonei uma leitura literal da Bíblia. Mas agora, pelo menos até certo ponto, me vejo deixando para trás também uma leitura analítica. Assim hoje, se estou lendo a Bíblia de manhã como parte de meus exercícios espirituais diários e leio sobre os muros de Jericó caindo por terra, não fico pensando no fato de que provas arqueológicas não dão fundamentação a esse fenômeno. Conheço esse fato, mas agora que o conheço posso deixá-lo de lado e permitir que o inspirado contador de histórias conte a história. Isso porque, embora eu saiba o que a arqueologia bíblica diz sobre essa história, eu também sei que há muros que precisam cair por terra e que o povo de Deus precisa marchar em volta desses muros acreditando que eles vão cair. Também sei que há exércitos que precisam ser afogados num mar e gigantes que precisam ser abatidos com um tiro de estilingue. A Bíblia quer me conduzir além do constritivo totalitarismo de poder absoluto rumo às possibilidades do reino de Deus imaginadas pela fé.

Podem os muros do ódio cair por terra? Pode a injustiça ser lançada ao fundo do mar? Pode o Golias do racismo ser superado? Sim! E uma das razões que me dão certeza dessas possibilidades é que cada manhã quando me sento com minha Bíblia eu entro num mundo onde essas coisas acontecem o tempo todo.

Uma leitura informada pela segunda ingenuidade não é voltar atrás, não é amnésia, não é ignorância teimosa; é uma nova apreciação de gênio divino em ação nessas histórias inspiradas. Concedemos ao texto a liberdade do contador de histórias e permitimos que nós mesmos nos sintamos encantados pela história sem precisar constantemente introduzir um "sim, mas...". Somos mais uma vez capazes de ser surpreendidos pela Bíblia. Se não temos de eternamente ler Josué como um relato histórico de genocídio, o que pode significar para nós a história de escravos libertos construindo com sucesso uma nova sociedade contra todas as esmagadoras probabilidades? Podemos voltar a uma inocência infantil enquanto nos envolvemos com as histórias das Escrituras porque, no final das contas, nós somos crianças. Quando se trata do conhecimento de Deus, como pode alguém dentre nós alegar ser algo mais que uma criança do jardim da infância? Sim, somos crianças — crianças de Deus. E, como todas as crianças, precisamos das histórias certas para formar e inspirar nossa imaginação.

Agora aos 80 anos de idade, o respeitado teólogo católico alemão e grande conhecedor do Novo Testamento, Gerhard Lohfink, descreve como ele voltou a uma leitura da Bíblia informada por uma segunda ingenuidade. Lohfink reconhece que, para um teólogo, uma abordagem analítica da Bíblia é um estágio necessário, mas em sua prática esse não tem sido o estágio final:

Todo teólogo precisa passar por essa fase. De qualquer modo, eu passei por ela e foi com absoluto prazer. Mas agora quero ler minha Bíblia com total simplicidade de novo. Carrego o fardo da erudição comigo na mochila. Ele é necessário, e temos de levá-lo conosco, porque a erudição nos ajuda a entender o texto em sua forma final. E, no entanto, eu quero ser levado adiante pelo texto em si e por seu fascínio. Exulto com ele. Sinto-me assustado por suas alegações. Deixo-me consolar por ele. Vivo nele como uma criança cuja mãe lhe conta uma história na hora de dormir.[3]

Na infância, alguma forma de literalismo pode ser o único jeito de entender a Bíblia. Mas, à medida que progredimos na idade adulta, o literalismo bíblico cada vez mais faz parte das coisas infantis que precisam ser guardadas em prol da maturidade. E depois, em certa medida, tem início o processo de submeter a Bíblia aos rigores da análise moderna. Mas isso não deve ser o fim da jornada. O objetivo é continuar a crescer e, quem sabe, tornar-se, como disse C. S. Lewis, "idoso o suficiente para começar a ler contos de fada de novo".[4]

Não estou dizendo que a Bíblia é um conto de fadas, mas que há um jeito santo e maduro de ler a Bíblia que se parece com o jeito de ler contos de fadas. Se lemos uma história sobre uma serpente conversando com Eva, podemos aceitar isso como aceitamos um lobo conversando com a Chapeuzinho Vermelho. Não deixamos que os elementos fantásticos nos impeçam de ouvir a história, pois é a história que importa. Para esclarecer, não considero todas as histórias bíblicas como alegóricas. Por exemplo, eu defendo que a ressurreição de Jesus Cristo é um acontecimento histórico. Embora a natureza exata da ressurreição possa situar-se acima do meu entendimento, eu acredito que a ressurreição aconteceu. Acredito nisso porque o Cristo ressuscitado revelou-se a mim e por causa do testemunho e da confissão do credo da igreja. Mas podemos, e devemos, ler grande parte do Antigo Testamento como alegórica e ainda ser tão solidamente ortodoxos como os pais da igreja.

Quando passei a acreditar em Jesus na adolescência, a Bíblia era um livro novo para mim porque eu nunca o havia lido. Durante os trinta anos seguintes, devorei a Bíblia, lendo-a do começo ao fim várias vezes por ano. Eu a lia simplesmente, sem a ajuda de estudiosos sérios. Meu objetivo era ingerir e habitar o texto — e fiz isso. Muito mais tarde, quando passei por minha transformação da água para o vinho que começou em 2004, li inúmeras obras de investigação bíblica escritas por treinados acadêmicos, e disso me beneficiei enormemente. Isso tornou a Bíblia nova para mim de novo. Durante esse tempo, eu repetidamente disse à minha igreja que tinha olhos novos, e com meus olhos novos, a Bíblia havia se tornado um livro novo. Mas hoje eu deliberadamente voltei para uma leitura mais simples da Bíblia, e pela terceira vez ela se tornou um livro novo. Digo que voltei, mas não é realmente isso. O conhecimento que adquiri em anos de imersão na erudição bíblica ainda está comigo, e posso recorrer a ele sempre que eu quiser. Na maioria das vezes, porém, agora prefiro ler a Bíblia como a lia aos dezesseis anos.

É interessante observar que os estudiosos bíblicos que mais me instruíram me encorajam a fazer esse tipo de leitura. No fim, a questão da erudição bíblica não é servir a academia, mas servir a uma leitura espiritual da Bíblia. Ultimamente, nas minhas leituras matinais, tenho usado a versão King James da Bíblia como uma maneira de lembrar a mim mesmo como quero ler a Bíblia nestes dias. Li as versões modernas e as mais acuradas traduções inglesas durante décadas, e aquele conhecimento atua num segundo plano quando leio, mas a tradução da versão King James me ajuda a estabelecer-me numa leitura mais poética, mais mítica, mais mística da Bíblia. Em verdade, em verdade vos digo que se trata da graça de uma segunda ingenuidade.

A Bíblia contém muita informação, mas seu verdadeiro propósito não é ser uma enciclopédia dos *feitos de Deus*; é antes ser um portal para o envolvimento com Deus. Isso significa que as Escrituras e a oração devem andar de mãos dadas. Se tudo o que queremos é *ler* a Bíblia, ainda não entendemos o propósito espiritual de nosso texto sagrado. Melhor que ler a Bíblia é *orar* a Bíblia, e é nesse ponto que a liturgia pode ser útil na formação espiritual. Em sua melhor função, a liturgia é a combinação artística e teológica das Escrituras e da oração. Quando *lemos* a Bíblia, nós inserimos informações em nossa cabeça — e isso tem valor. Mas quando *oramos* a Bíblia, nosso coração se envolve com Deus — e isso é muito mais valioso. É por isso que aprecio profundamente as tradições que em seu culto recitam ou cantam as Escrituras. Essa prática ajuda a lembrar aos adoradores que o nosso envolvimento com as Escrituras não é principalmente cerebral ou acadêmico, mas espiritual e religioso. Na tentativa de falar sobre o divino, a prosa tem seus limites e no fim deve ceder à linguagem mais elevada da poesia. Há uma razão que explica por que uma parte tão significativa da Bíblia está em forma poética. Assim como há uma razão que explica por que a maioria dos profetas hebreus eram antes de tudo poetas. O poético e o profético estão relacionados. O grande poeta americano Walt Whitman entendeu isso:

> Depois que os mares forem todos atravessados (e parece que já foram)

Depois que os grandes capitães e engenheiros tiverem realizado seu trabalho,
Depois dos nobres inventores, depois dos cientistas, o químico, o geólogo, o etnologista,
Finalmente há de vir o poeta digno desse nome,
O verdadeiro filho de Deus há de vir cantando suas canções.[5]

Um Deus não intervencionista?

A graça de uma segunda ingenuidade (ou retorno à inocência ou simplicidade recuperada ou fé remitologizada ou como quer que se queira chamar o que estou tentando descrever) não apenas influencia o nosso envolvimento com as Escrituras, mas também toda a nossa vida de fé — é o retorno para Nárnia, aquele lugar de magia e aventura onde Aslam (Cristo) é, se não regularmente, pelo menos periodicamente vislumbrado e encontrado. Nárnia é aquele lugar onde Aslam está constantemente em ação, onde Aslam intervém. Para alguns, porém, a intervenção é *verboten*, isto é, proibida. É cada vez mais comum ouvir quem passou por alguma desconstrução teológica dizer: "Eu já não acredito num Deus intervencionista". Isso soa aos meus ouvidos como um pouco mais do que ateísmo funcional. Será que voltamos ao Deus relojoeiro ausente dos deístas do século 18? Quem precisa de um Deus não intervencionista? Para que serve um Deus assim? Se Deus não intervém, então deveremos todos nos salvar a nós mesmos, o que significa que estamos todos perdidos. Um Deus que não intervém não é o Deus da Bíblia, não é o Deus do amor e não é o Pai no céu de quem Jesus falou. Se outros não acreditam num Deus intervencionista, eu decididamente acredito.

Reconheço que o cristianismo fundamentalista — especialmente o pentecostal e o carismático — pode ser culpado pelo erro teológico de transformar Deus numa máquina de venda automática: insira as moedas de fé adequadas e eis que a máquina expele um milagre. Nesse sistema, se você estiver doente, você usa sua fé para ser curado, e se não for curado, é porque não tem fé suficiente. É um sistema teológico no qual a crueldade se soma à desgraça. Sendo assim, eu certamente entendo a necessidade de descontruir esse tipo de noção errada de Deus. A certeza transacional nada tem a ver com a fé real. Mas pular daí para o "Eu já não acredito num Deus intervencionista" é uma reação exagerada da pior espécie. É simplesmente trocar uma certeza errada por outra.

Talvez a mais consistente representação de Deus que nos é dada nas Escrituras seja aquela de um Deus que deliberadamente intervém. Dizer que não podemos controlar a intervenção de Deus é uma coisa, mas dizer que Deus não intervém é absolutamente outra coisa. Concordo, parece que Deus não intervém em nosso sofrimento tão frequentemente como gostaríamos que acontecesse. De fato, a mais elevada expressão de fé pode ser continuar acreditando em Deus em meio ao sofrimento injusto. Essa é a fé extraordinária de Jó. Comentando a fé não recompensada de Jó em meio ao sofrimento injusto, Gustavo Gutiérrez escreve:

> Será que os seres humanos conseguem ter uma fé desinteressada em Deus — isto é, conseguem acreditar em Deus sem esperar recompensas e temer punições? Sendo ainda mais específico, será que os seres humanos são capazes de, em meio ao sofrimento injusto, continuar afirmando sua fé em Deus e falar de Deus sem esperar um retorno? Satanás, e com ele todos os

que concebem a religião como um escambo, negam essa possibilidade. O autor [de Jó], pelo contrário, acredita que isso é possível, embora ele certamente conhecesse a dificuldade que o sofrimento humano, o próprio e o dos outros, apresenta contra a fé autêntica em Deus. Jó, que ele transforma no veículo de suas experiências pessoais, será seu porta-voz.[6]

Sobre o monte de cinzas do sofrimento, Jó atinge o auge da fé quando declara: "Ainda que ele me mate, nele esperarei" (Jó 13.15, RC). Todavia, no fim, Deus *de fato* interveio na história de Jó, embora não necessariamente da maneira que Jó havia esperado.

Apesar da realidade do sofrimento injusto, eu acredito num Deus intervencionista. Um Deus que interveio na criação. (O que poderia ser mais intervencionista do que isso?) Um Deus que interveio na história de Israel e serviu-se da mediação dos profetas. Um Deus que interveio decisivamente quando o Logos se fez carne. A encarnação é a intervenção que salva o mundo. Quando tudo está em chamas, meu maior conforto é a certeza de que o mundo será salvo. Deus não mandou seu Filho ao mundo para condenar o mundo, mas para salvá-lo. Sim, o mundo será salvo pela intervenção de Deus.

Apesar disso, há orações que não são atendidas, crianças que morrem de câncer, e até os mais repletos de fé sofrem "os açoites e flechadas do drástico destino".[7] Deus intervém, mas do nosso ponto de vista não tão frequentemente como gostaríamos. Isso cria a tentação de erguer as mãos ao céu em desespero e dizer: "Eu já não acredito mais num Deus intervencionista". Entendo esse impulso, mas acho que na maioria das vezes essa é uma tentativa de nos prevenir contra uma possível decepção. Desistimos de orar para não sermos decepcionados, ou oramos orações tão seguras que já não corremos o risco da decepção. No entanto, para nutrirmos qualquer esperança numa vida de vibrante fé, temos de correr o risco da decepção. A fé por sua própria natureza é uma aventura de risco. Então eu opto pelo risco da decepção. Faço isso porque minha experiência me diz que Deus pode me ajudar a suportar a decepção. Mas, se eu deixar de me engajar com Deus desistindo de implorar a intervenção divina em nosso mundo e em minha vida por temer uma decepção, minha alma começará a definhar. Não quero viver num mundo onde Deus parece ausente apenas porque não quero arriscar uma decepção.

Eu realmente acredito — mesmo não podendo provar isso — que Deus está num *estado de constante intervenção* no mundo! Eu sustento a aparentemente absurda ideia de que a intervenção de Deus no mundo *nunca* cessa! Deus é amor, e Deus está sempre amando o mundo. A intervenção de Deus é seu amor. A intervenção de Deus raramente pode (isso parece impossível) ser coercitiva e controladora, mas a intervenção do amor, apesar de tudo, está presente. Como exatamente se dá a amorosa, embora não coercitiva, intervenção de Deus é difícil dizer, mas suspeito que isso tem mais a ver com nossa própria cegueira espiritual do que com qualquer ausência ou ambivalência da parte de Deus. Eu até me atreveria a sugerir que pode chegar o dia em que olharemos para trás e veremos que o envolvimento de Deus em nossa vida consistiu numa constante interferência amorosa. Coisas que poderiam ter acontecido mas não aconteceram, inesperados momentos de silenciosa alegria, simples atos de bondade oferecidos e recebidos, amizades repentinas, a força para seguir em frente quando tínhamos certeza de que nossa força se esgotara:

essas e um milhão de outras graças não reconhecidas são o que tornam a vida vivível. E não poderiam essas graças fluir da constante intervenção do amor de Deus? Minha escolha é acreditar nisso.

Assim, hoje oro e leio minha Bíblia com uma nova simplicidade conquistada a duras penas. Espero a intervenção de Deus, embora eu não atribua demasiada importância à maneira como isso poderia se dar. Acredito que o Deus que partiu as águas do mar Vermelho abrirá um caminho onde parece não haver nenhum. Acredito que o Deus que esteve com os filhos hebreus na flamejante fornalha estará comigo quando as coisas esquentarem. Acredito que o Deus que se apresentou aos discípulos caminhando sobre a água virá até mim quando eu me encontrar em mares tormentosos. E acredito que o Deus que ressuscitou Jesus dentre os mortos no fim nos salvará a todos da dissolução da morte. Essa é a fé pura e simples que me sustenta na graça da segunda ingenuidade.

Se a graça da segunda ingenuidade for o caminho de volta para Nárnia, e eu acredito que é, pois eu mesmo fiz essa jornada, não quero que este capítulo seja visto como prescritivo ou como o roteiro da jornada — pelo menos não em demasia. Talvez seja suficiente ser alertado de que essa jornada é possível e assim manter a esperança. O sábio professor de *O leão, a feiticeira e o guarda-roupa* de C. S. Lewis tem algo perspicaz a dizer sobre isso:

> Sim, é claro que você voltará para Nárnia algum dia. Quem um dia foi rei em Nárnia, sempre será rei em Nárnia. Mas não fique tentando usar a mesma rota duas vezes. Aliás, não *procure* chegar lá. A coisa acontecerá quando você não estiver contando com isso.[8]

11
A casa do amor

....

Dizem que na casa do seu pai há muitas mansões,
Cada uma delas tem um assoalho à prova de fogo.

BOB DYLAN, "SWEETHEART LIKE YOU"

Em 1425, Andrei Rublev, um monge e iconógrafo russo, criou o que se tornaria um dos mais famosos ícones da história: *A hospitalidade de Abraão*, mais conhecida como *A Trindade*. Num plano, aparece um retrato dos três anjos que jantaram com Abraão junto ao bosque de Manre (ver Gn 18). Mas num plano mais profundo, há uma representação da Santíssima Trindade. Rublev pintou esse ícone durante uma época de turbulência política na Rússia; ele queria meditação sobre esse ícone para ajudar seus colegas monges a manter a alma em paz fixando o coração em Deus. No ícone, a Trindade está sentada a uma mesa de quatro lados, com o lado mais próximo do espectador desocupado. Trata-se de um convite para o espectador juntar-se à Trindade em sua cordialidade de amor divino. Em sua meditação sobre ícones, Henri Nouwen descreve a *Trindade* de Rublev como a "casa do amor":

> Viver no mundo sem pertencer ao mundo resume a essência da vida espiritual. A vida espiritual nos mantém conscientes de que nossa verdadeira casa não é a casa do medo, onde os poderes do ódio e da violência imperam, mas a casa do amor, onde

Deus reside. Dificilmente um dia passa em nossa vida isento de experiências de interiores e exteriores medos, ansiedades, apreensões e preocupações. Esses poderes sombrios impregnaram cada parte de nosso mundo em tal grau que nunca podemos escapar deles plenamente. Mesmo assim, é possível não pertencer a esses poderes, não construir nossa residência entre eles, mas escolher a casa do amor como nossa moradia. Essa escolha não é feita de uma vez por todas, mas levando uma vida espiritual, orando em todas as ocasiões e respirando o sopro de Deus. Através da vida espiritual, nós gradativamente nos mudamos da casa do medo para a casa do amor.[1]

Hoje em dia, tudo parece estar em chamas porque o mundo decaído em que vivemos está arruinado pelo medo, o ódio e a violência. Vemos isso nas assustadoras políticas que apelam para tudo o que há de pior em nós; vemos isso na repulsiva persistência de quatro séculos de supremacia branca nos Estados Unidos; vemos isso na perniciosa cultura e violência das armas que aterroriza nosso país de Columbine a Sandy Hook a Toda Parte, EUA; e vemos isso nas manifestações do cristianismo americano que de bom grado abraça práticas políticas que são descaradamente rudes e cruéis. Numa época em que tudo está em chamas com medo, ódio e violência, a tentação é temer o medo, odiar o ódio e reagir à violência com violência. É fácil deixar-se seduzir pelo pensamento de que *nosso* medo tem sua razão de ser, *nosso* ódio é justo e *nossa* violência se justifica. Aqui temos o diabo entregando galões de gasolina para os cidadãos de uma cidade em chamas.

Mas, como sublinha Henri Nouwen, a essência da vida espiritual é viver num mundo decaído sem pertencer a ele. Ser santo não é tanto ser "bom" num sentido moralista; é mais ser *outra pessoa*. Os conservadores gritam "alinhem-se com a direita!" ao passo que os progressistas gritam "alinhem-se com a esquerda!". Enquanto isso, Jesus nos convoca para alguma outra coisa, algo totalmente diferente, algo que não pode ser tramado na polaridade sem imaginação de esquerda-direita. O objetivo da vida espiritual é viver visando aquele *outro* santo e transcendente modo de ser. As patologias que atacaram nossa sociedade foram muitas vezes geradas na casa do medo. O dono da casa do medo é um cruel torturador. Como diz o apóstolo João, "o medo produz tormento" (1Jo 4.18, RA). Os ocupantes da casa do medo do torturador tornam-se muitas vezes pessoas cruéis. E realmente não interessa se a crueldade se apresenta na forma de uma ideologia que tende para a esquerda ou para a direita. Na casa do medo, a identidade política tende a empurrar seus adeptos para as margens cruéis. A solução não é moderação; é uma nova residência.

Por meio de uma vida espiritual — uma vida capacitada pela graça que transcende o mundo como ele é — nós gradativamente mudamos nossa residência da cruel casa do medo para a casa pacífica do amor. Isso não acontece tudo de uma vez. Não é tão simples como caminhar pela nave de uma igreja ou fazer a oração do pecador. Exige-se mais do que simplesmente tomar a decisão de ser mais amoroso. Não é fácil, mas é possível. Mudar-se da casa do medo para a casa do amor é o propósito da formação espiritual e o objetivo da oração contemplativa. A razão pela qual procuramos ter uma formação apropriada mediante práticas espirituais é podermos no fim morar definitivamente na casa do amor. Quando tudo está em chamas, nosso refúgio é a casa do amor — uma casa que é impermeável às chamas do medo, do ódio e da violência. Isso não significa que não sejamos, como todo mundo, afetados pelos incêndios que grassam em nossa sociedade; mas de fato significa que é possível que nosso eu interior permaneça ileso ante as chamas do inferno. O apóstolo Paulo diz: "Por isso, nunca desistimos. Ainda que nosso exterior esteja morrendo, nosso interior está sendo renovado a cada dia" (2Co 4.16). Embora lamentemos os infernais acontecimentos em nossa sociedade, não somos destruídos por eles. Para aqueles que aprenderam a viver na casa do amor existe a paz interior. Era isso que Rublev estava tentando comunicar a seus irmãos no tumultuado século 15 com seu ícone, e é o que estou tentando comunicar a minhas irmãs e meus irmãos no tumultuado século 21 com este livro.

Guerras grandes e pequenas, verbais e marciais constantemente irrompem na casa do medo. Na casa do medo, a ilusão da escassez predomina. Não há nunca o suficiente na casa do medo, e assim seus ocupantes julgam que precisam lutar para garantir sua parte. Na casa do medo, não podemos acolher os estrangeiros ou cuidar dos pobres porque pode não sobrar o suficiente para nós. Satanás — o instigador da acusação e o incitador da ansiedade — governa nessa casa diabólica. É uma casa disfuncional onde cada ocupante é visto como um rival potencial, um competidor a ser derrotado, um contestador a ser conquistado. Nessa casa horrorosa, as amizades são na maioria das vezes alianças calculadas; as pessoas são meios disponíveis para um fim egoísta. Essa é a triste somatória de grande parte da história do mundo. É isso que se esconde por trás da sombria história da conquista europeia e da colonização das Américas. Os povos nativos não depararam com um novo vizinho; foram, na verdade, invadidos por conquistadores. Colombo descobriu o novo mundo como aquele asteroide descobriu os dinossauros. Armado com "armas, germes e aço", os invasores da casa do medo trouxeram a morte para dois continentes.[2] Foi a história de Caim e Abel recontada numa escala hemisférica. Sim, boa parte do que denominamos história mundial é apenas um diário da casa do medo.

A casa do medo da humanidade é a moradia dos piores males. É o lugar onde aprendemos a acusar e exigimos o sacrifício de um bode expiatório. É a casa da raiva, a casa da guerra, a casa da morte. O inferno aqui e agora, o inferno logo ali, o inferno na medida em que nos exilamos da casa do amor. Mas — é tudo mentira! A casa do medo é um falso construto erigido num pernicioso engodo pelo pai da mentira. A casa do medo só existe porque seus ocupantes não conhecem a única maior verdade de nossa existência: *Deus é amor.* O universo não é benigno, mas Deus é amor. Cruéis caprichos afluem, mas Deus é amor. Iniquidades se escondem entre nós, mas Deus é amor. Uma consciência do amor de Deus é o segredo para enfrentar o mundo como ele é e ainda persistir na paz.

É verdade que o universo não é benigno — vinte e quatro mil pessoas são fulminadas por raios a cada ano — mas Deus é amor, e Deus ama cada uma delas. Não podemos negar que há cruéis caprichos em abundância: bebês desenvolvem câncer no cérebro e noivas morrem no dia de seu casamento, mas Deus é amor e redimirá a história dessas pessoas. Sabemos que iniquidades se escondem entre nós: um fragmento de material genético pode desencadear uma pandemia global mortífera, mas Deus é amor, e só o amor terá a última palavra. Não sou ingênuo. A cada momento de nossa existência, estamos correndo um risco. Nunca estamos perfeitamente seguros, mas somos sempre perfeitamente amados. E "o perfeito amor afasta todo medo" (1Jo 4.18). Não precisamos levar a vida de um assustado e miserável refém na casa do medo; a Santíssima Trindade nos convida a morar em sua casa do amor eterno. Jesus diz:

> Não deixem que seu coração fique aflito. Creiam em Deus; creiam também em mim. Na casa de meu Pai há muitas moradas. Se não fosse assim, eu lhes teria dito. Vou preparar lugar para vocês e, quando tudo estiver pronto, virei buscá-los, para que estejam sempre comigo, onde eu estiver.
>
> João 14.1-3

Creia em Deus!

Quando tudo está em chamas, será que conseguimos ouvir Jesus dizendo-nos: "Não deixem que seu coração fique aflito. Creiam em Deus"? Quando estamos aflitos com nuvens escuras derramando calamidades sobre nós, buscar abrigo em Deus é um falso conforto ou a prudência de um sábio? Escolho acreditar na segunda opção porque Jesus assim o diz. Talvez a razão principal de eu acreditar em Deus seja o fato de que Jesus acredita. Ouvi os cínicos dizerem: "Deus é uma muleta". Para mim, Deus é muito mais do que uma muleta. Deus é uma rocha de segurança, uma alta torre, uma poderosa fortaleza, um baluarte que nunca falha, um abrigo contra a tempestade. Então, quando Jesus diz ao meu atribulado coração para crer em Deus, eu creio!

Mas Jesus também diz: "Creiam também em mim". *Deus* é um signo abstrato, um conceito, um vaso vazio no qual podemos pôr nossas ideias. Para a maior parte dos europeus ocidentais, *Deus* é um amálgama do filosófico *omnis* — oni-, onisciente, onipotente, onipresente, onitudo. Com essa abordagem para entender Deus, nós simplesmente abraçamos nossas próprias ideias ampliadas ao grau oni-. Mas um entendimento cristão de Deus é inteiramente baseado em Jesus. Ele define Deus, não o filosófico *omnis*. Não conhecemos Deus de acordo com categorias filosóficas, mas pela revelação de Jesus Cristo. Jesus diz: "Ninguém conhece verdadeiramente o Pai, a não ser o Filho e aqueles a quem o Filho escolhe revelá-lo" (Mt 11.27). Todo o sentido de confessar a divindade de Cristo consiste em saber como Deus é. Não devemos cometer o erro de dizer: "Eu já sei como Deus é, e agora sei que Jesus é isso". Não! Isso vai no sentido contrário. Nós *não* sabemos como Deus é! Somente Jesus conhece o Pai e revela o Pai. Todo o sentido de confessar a divindade de Cristo é saber como Deus é. Deus é como Jesus! Todos os outros conceitos sobre Deus — não importa de onde venham — devem curvar-se à revelação de Deus como ele se apresenta em Jesus. A Bíblia não é a perfeita revelação de Deus; Jesus é. O melhor que a Bíblia faz é nos encaminhar fielmente para Jesus como a revelação de Deus. Dizer "Creio em Deus" é muitas vezes um enorme significante vazio porque *Deus* pode ser um conceito infinitamente maleável. Nós cremos em Deus de modo *ambíguo* e *vago*, sobretudo como um conceito filosófico e uma projeção psicológica. Mas quando acreditamos em Jesus como a perfeita revelação de Deus, começamos a encontrar Deus em sua *especificidade* e *particularidade*. O autor de Hebreus é muito explícito a respeito disso quando diz que Jesus "expressa de forma exata quem Deus é" (Hb 1.3).

Essa audaciosa alegação levou alguns a tropeçar no escândalo da particularidade. Não são poucas as mentes modernas que se ofendem diante da ideia de que o Logos de Deus se tornou um corpo *particular* — num lugar *particular* e num momento *particular* da história. A ideia de que Deus entrou na história e juntou-se à raça humana unicamente por meio de Jesus de Nazaré com todas as suas particularidades ofende a mais panteísta e talvez mais palatável ideia de que Deus é todas as coisas. Mas essa ofensa, se é que é uma ofensa, é um aspecto inerente ao cristianismo ortodoxo. "Assim, quando pregamos que o Cristo foi crucificado, os judeus se ofendem, e os gentios dizem que é tolice" (1Co 1.23).

Ouvi alguns das margens exteriores do cristianismo progressivo dizerem com som estrídulo e displicente: "Cristo é tudo". Isso soa como um piedoso absurdo. Cristo não é a célula cancerígena, Cristo não é a bomba atômica, Cristo não é o meu gato e Cristo não é o que sou eu. Os cristãos confessam que todas as coisas serão admitidas em Cristo e curadas por ele, mas isso acontece *mediante* o escândalo da particularidade, não separado dele. Em seu grande tratado sobre a ressurreição, o apóstolo Paulo apresenta uma arrebatadora visão escatológica que culmina com Deus sendo tudo em todos:

> Uma vez que a morte entrou no mundo por meio de um único homem, agora a ressurreição dos mortos começou por meio de um só homem. Assim como todos morremos em Adão, todos que são de Cristo receberão nova vida. Mas essa ressurreição tem uma sequência: Cristo ressuscitou como o primeiro fruto da colheita, e depois todos que são de Cristo ressuscitarão quando ele voltar.
>
> Então virá o fim, quando ele entregará o reino a Deus, o Pai, depois de ter destruído todos os governantes e autoridades e todo poder. Pois é necessário que Cristo reine até que tenha colocado todos os seus inimigos debaixo de seus pés. E o último inimigo a ser destruído é a morte. Pois as Escrituras dizem:

"Deus pôs todas as coisas sob a autoridade dele". Claro que, quando se diz que "todas as coisas estão sob a autoridade dele", isso não inclui aquele que conferiu essa autoridade a Cristo. Então, quando todas as coisas estiverem sob a autoridade do Filho, ele se colocará sob a autoridade de Deus, *para que Deus, que deu a seu Filho autoridade sobre todas as coisas, seja absolutamente supremo sobre todas as coisas em toda parte.*

1Coríntios 15.21-28 (ênfase acrescentada)

O glorioso *crescendo* da escatologia cristã é a abolição da morte e a chegada de um cosmos curado no qual Deus é tudo em tudo. Mas esse fim redentor é realizado mediante a particularidade de Cristo. E eu, pelo menos, não me sinto ofendido com esse escândalo da particularidade. Sou particularmente parcial a favor de Jesus Cristo! Em resposta à escatologia apresentada no Novo Testamento, eu sou *universal* em minha robusta esperança de que toda a criação será redimida e sou *particular* em minha confissão de que essa redenção se realiza em Cristo. Nossa abençoada esperança é que a casa do Pai coloque o cosmos inteiro sob sua autoridade — para que o universo em si venha a ser a casa do amor. Mas a particular boa notícia neste nosso momento presente é que Jesus nos convida a viver na casa do amor agora.

Quando Jesus diz: "Na casa de meu Pai há muitas moradas", ele está dizendo algo assim: "Na casa do infinito amor de meu Pai há espaço para todos — ninguém precisa ser excluído". Nossa esperança é que a casa do medo venha a ser abandonada, fique vazia, e finalmente seja demolida. Pois a vida na casa do medo mal chega a ser vida. Mais se parece com a casa do horror de Edgar Allan Poe em *O poço e o pêndulo* — as paredes se fechando, se aproximando, e sem nenhuma saída. Mas Jesus diz que ele é a saída. Quando Filipe perguntou a Jesus sobre o caminho para a casa do Pai, Jesus disse: "Eu sou o caminho, a verdade e a vida" (Jo 14.16). Quando seguimos o caminho de Jesus, abraçamos a verdade de Jesus e vivemos a vida de Jesus, estamos na estrada para a casa do Pai, a casa do amor. E será que eu acredito realmente que alguns, atraídos pelo Espírito Santo, estão nesse caminho santo sem ainda conhecer o nome do caminho? Com absoluta certeza. Esses são os que Karl Rahner chama "cristãos anônimos".[3]

A razão pela qual não posso ser um cínico, a razão pela qual me recuso a desesperar-me, a razão pela qual alimento a esperança, apesar de tudo estar em chamas, é que, juntamente com o apóstolo Paulo, eu também "estou convencido de que nem morte nem vida, nem anjos nem demônios, nem o que existe hoje nem o que virá no futuro, nem poderes, nem altura nem profundidade, nada, em toda a criação, jamais poderá nos separar do amor de Deus revelado em Cristo Jesus, nosso Senhor" (Rm 8.38-39). E assim digo isto sem nenhum constrangimento: tudo vai acabar bem. Ou, nas famosas palavras da mística inglesa Juliana de Norwich: "É verdade que o pecado é a causa de todo este sofrimento, mas tudo acabará bem, e tudo ficará bem, e todos os tipos de coisas ficarão bem".[4] Como poderia ser de outra maneira? Se nós somos realmente amados por Deus, tudo vai ficar bem. Se somos realmente amados por Deus, podemos nos dar ao luxo de confiar em vez de lutar. Se somos realmente amados por Deus, podemos abandonar a casa do medo. Se somos realmente amados por Deus, podemos viver na casa do amor aqui e agora. É nisso que eu acredito. E não se trata de um despreocupado deslizamento para uma crendice fácil, mas sim do usufruto dos bens conquistados numa árdua luta pela fé.

Uma vez que a fé finalmente venceu, ou pelo menos conquistou uma posição favorável, estamos livres para sonhar sonhos.

Os sonhos que eu sonho

No dia de Pentecostes, o apóstolo Pedro começou o primeiro sermão citando um texto extraído do profeta Joel.

"Nos últimos dias", disse Deus,
"derramarei meu Espírito sobre todo tipo de pessoa.
Seus filhos e suas filhas profetizarão;
os jovens terão visões,
e os velhos terão sonhos."

Atos 2.17

Joel diz que o derramamento do Espírito Santo resulta em sonhos e visões. São fenômenos semelhantes, mas não exatamente a mesma coisa. As visões são prosa e precisam de um plano; os sonhos são poesia e precisam apenas ser sonhados. As visões estão um pouquinho vinculadas ao que tendemos a pensar que é possível; os sonhos são um portal para um mundo onde todas as coisas são possíveis. Os sonhos são verdadeiramente transcendentes — somos livres para sonhar com coisas que não fazemos ideia de como poderiam acontecer. Não estou falando de devaneios, ideias impraticáveis, sonhos inúteis; estou falando de sonhos inspirados pelo Espírito. Uma vez que me abri para o Espírito — o agente de todas as possibilidades — sonhei alguns sonhos sobre o futuro da igreja.

Sonho com uma igreja que seja uma casa do amor, uma cidade de refúgio, um abrigo na tempestade. As atribuladas almas da casa do medo precisam desesperadamente de uma casa do amor. Os acusados, cancelados e atacados precisam de uma cidade de refúgio. Os exaustos e extenuados, exauridos pela constante pressão das cáusticas guerras culturais, precisam de abrigo na tempestade. É precisamente isso que a igreja é chamada a ser. A manhã do domingo deveria ser uma licença para ausentar-se da constante batalha da vida. A senha em nossas igrejas é a troca de votos de paz: "Que a paz de Cristo esteja com você". "E com você também."

Sonho com uma igreja que seja pioneira no caminho da paz e nunca mais uma capelã a serviço dos senhores da guerra. A maior infidelidade da igreja tem sido servir aos senhores da guerra. Segundo a lenda hagiográfica, Constantino, na véspera da batalha da ponte Mílvia, viu uma cruz nos céus com estas palavras: "Sob este signo vencerás". Esse foi o começo da matança em nome da cruz — um grotesco abandono da não violenta tradição de paz que a igreja havia defendido durante três séculos. Na ponte Mílvia, um pacto foi feito com o diabo que no fim levou às duas guerras mundiais da Europa onde cristãos batizados se massacraram aos milhões em nome de sua lealdade nacional. O futuro da igreja se encontra em seu passado primitivo de renúncia à guerra e de declaração da paz.

Sonho com uma igreja que se destaque em práticas contemplativas e posturas contemplativas. Em vez de cristãos das guerras culturais, precisamos de cristãos contemplativos. O problema com o cristão de esquerda e o cristão de direita é que a palavra *cristão* acaba reduzida à função de adjetivo a serviço do todo-importante substantivo ideológico, e a última coisa que o mundo ou a igreja precisa é de outro reacionário ideólogo de esquerda-direita. O arcebispo Lazar Puhalo diz: "Quando a religião descamba para uma ideologia já não é mais fé. A religião em si transforma-se em obsessão quando o que se chama de amor é motivado pelo ódio".[5] Por meio das práticas da oração contemplativa, nós saímos da esfera do dualismo reativo. O objetivo supremo da oração contemplativa não é o afastamento, mas sim um sólido embasamento no amor.

Sonho com uma igreja que se sinta em casa no bom mundo de Deus em vez de uma igreja ansiosamente apinhada junto ao portão de partida. A ideia de que o objetivo da vida cristã é ir para o céu em geral, e a teologia do arrebatamento em particular, causou danos incalculáveis ao modo como milhões de crentes pensam sobre o futuro. A esperança escatológica cristã não é a de ir para o céu, mas a de trazer o céu para a terra. A abençoada esperança não é a de que nós estamos indo, mas a de que Cristo está chegando. A cena que encerra o livro de Apocalipse é uma representação do céu e da terra reunidos num santo matrimônio — uma promessa que está no processo de concretizar-se. Jesus Cristo, tal qual é representado nas Escrituras, é o Salvador do mundo — não o Salvador de grupos de pessoas para outro mundo. Os cristãos que corretamente aprendem aquilo que a Bíblia proclama de Gênesis a Apocalipse devem, mais que todo mundo, encabeçar a iniciativa do cuidado em prol da boa terra de Deus.

Sonho com uma igreja na qual fé e ciência não se contraponham. Em 1663, Galileu foi considerado "fortemente suspeito de heresia" por defender a teoria heliocêntrica de Copérnico. Sob ameaça de tortura, Galileu foi forçado a retratar-se. Na aurora da modernidade, a Igreja Católica Romana pensava que, se a Terra não fosse o centro do universo, então a Bíblia estava comprovadamente errada e a fé cristã iria implodir. Obviamente, sabemos hoje que Copérnico e Galileu estavam certos e a Igreja Católica errada; a Terra gira ao redor do Sol, e o cristianismo não implodiu. Desse colossal embaraço, a Igreja Católica aprendeu uma lição valiosa e hoje celebra a investigação científica. Hoje, as aulas de ciência em colégios católicos dos Estados Unidos gastam mais tempo estudando a evolução do que as aulas de ciência em colégios públicos. É chegada a hora de os colégios evangélicos aprenderem a lição aprendida pelos colégios católicos. Habitualmente digo à minha igreja que não conheço uma única teoria científica revisada por cientistas que seja uma ameaça à fé cristã. Toda verdade é uma verdade de Deus, e no fim os cientistas e os teólogos estão buscando a mesma coisa.

Sonho com uma igreja que seja conservadora porque as tradições de sabedoria merecem ser preservadas. Tenho um profundo respeito pelo conservadorismo teológico — não o falso conservadorismo dos fundamentalistas modernos, mas o verdadeiro conservadorismo que bebe da fonte da tradição patrística. O cristianismo é uma fé recebida; nós não conseguimos inventá-lo. O cristianismo permanece uma fé viva enquanto permanece enraizado em seu solo antigo. Jesus disse: "Todo mestre da lei que se torna discípulo no reino dos céus é como o dono de uma casa que tira do seu tesouro verdades preciosas, tanto novas como velhas" (Mt 13.52). A igreja é a guardiã de tesouros antigos e novos.

Sonho com uma igreja que seja progressista porque a jornada segue em frente. Ainda não foi dito tudo o que é preciso dizer numa conversa sobre a teologia cristã. No discurso do cenáculo, Jesus disse a seus discípulos: "Há tanta coisa que ainda quero lhes dizer, mas vocês não podem suportar agora. Quando vier o Espírito da verdade, ele os conduzirá a toda a verdade" (Jo 16.12-13). O conservadorismo sozinho não conseguirá habilitar a igreja para chegar a toda a verdade. David Bentley Hart ressalta que os membros do partido herege de Ário

> foram, afinal de contas, os conservadores teológicos de seu tempo e espaço; os membros do partido de Niceia foram os ousados inovadores. Aqueles foram tradicionalistas, e por essa razão a linguagem deles acabou se mostrando estéril; estes foram teológica e metafisicamente radicais e, em consequência disso, sua linguagem conferiu à tradição uma vida nova e duradoura.[6]

Sonho com uma igreja que seja uma alternativa possível para o secularismo sem alma. O secularismo filosófico é a ideia moderna de que Deus é irrelevante para a organização de nossa vida, e de que não existe nada ontologicamente sagrado. No secularismo, o sagrado é um mero construto artificial. Mas um mundo sem o sagrado é um mundo sem alma. O anseio pelo sagrado faz parte do que significa ser humano — esse anseio pode ser suprimido, mas não pode ser extinto. A igreja não precisa combater o secularismo; a igreja apenas precisa ser uma alternativa ao secularismo. Precisamos de igrejas que sejam menos práticas e mais sacramentais.

Sonho com uma igreja na qual os netos dos meus netos aprendam a amar e seguir Jesus. Estou num jogo de longo prazo. Não estou nesta vida apenas para mim mesmo. Duvido que meus tataranetos conhecerão meu nome (você sabe o nome de seus tataravós?), mas mesmo assim quero deixar-lhes um presente. Assim, dedico minha vida à igreja porque a igreja é importante — é como nós transmitimos a pérola de grande valor a gerações futuras. Uma forma de amar nossos filhos e netos é amar o bom trabalho da igreja.

Sonho que talvez nós ainda sejamos a igreja primitiva. Selah. No ano do Senhor de 9021, a igreja de hoje será considerada como a igreja primitiva. Será que podemos nos contentar com o papel do zelador, ou devemos ser a "geração ômega"? Temos de viver tanto com o pressentimento do iminente retorno do Senhor quanto com uma suspeita de que a parúsia talvez aconteça num futuro muitos milênios à frente.

Sonho que talvez a igreja do futuro distante bondosamente possa perdoar nossas falhas, porque também nós somos pessoas do nosso tempo. Que falhas são essas? Quais são os erros que não enxergamos? Não sei ao certo. Essa é a questão. É difícil saber o que não sabemos. É difícil ver o que não podemos ver. Não somos uma igreja perfeita. Não seremos uma igreja perfeita. Não podemos ser uma igreja perfeita. Por enquanto, bastará sermos uma igreja que batalha imperfeitamente para ser fiel. E uma vez que a graça é concedida aos humildes, sejamos humildes.

Sonho com uma igreja num futuro distante usando tecnologias que não consigo imaginar, mas ainda praticando os sacramentos que de imediato reconheço. Como a igreja das catacumbas não podia imaginar as tecnologias que despreocupadamente hoje empregamos, assim nós não conseguimos imaginar as tecnologias que estarão à disposição da igreja do século 25. Mas a igreja das catacumbas reconheceria o batismo e a Eucaristia. Estes são sacramentos que nos vinculam através dos tempos.

Esses são alguns dos sonhos que eu sonho. Você consegue sonhar comigo?

Conclusão
Cada arbusto em chamas

....

Apenas vivemos, apenas suspiramos
Consumidos por este ou por aquele fogo.

T. S. Eliot, "Quatro Quartetos"

Na história do Primeiro Testamento ninguém se afigura maior do que Moisés. Moisés, o libertador; Moisés, o legislador; Moisés, o homem que conversa face a face com Deus; Moisés, o homem que caminha lado a lado com o faraó. Mas, na meia-idade, Moisés era uma figura esquecida com um passado escandaloso; antes um príncipe na corte do faraó, agora um fugitivo trabalhando para seu sogro num fim de mundo. Moisés estava acabado, era um fracassado. Em seus anos no deserto, Moisés é o retrato de multidões de pessoas solitárias que perderam seus ideais trinta e cinco anos antes e agora só conseguem aplicar um toque de sorriso sobre uma máscara de sofrimento. A essa altura, parece que o Moisés da meia-idade já entrou no lento declínio rumo à dissolução final. É claro que sabemos que esse não é o fim da história. Moisés está prestes a ingressar na segunda metade da vida explodindo de significado e transbordando milagres.

Mas entre o Moisés príncipe faraônico e o Moisés libertador de Israel estão os anos esquecidos. Os anos do despojamento, os anos quando Moisés é polido no deserto. No Egito, Moisés foi um filho do faraó. No deserto, Moisés tornou-se um filho de Deus. Moisés não poderia ser quem se tornou passando diretamente do príncipe queridinho ao heroico libertador. Ele tentou, mas aquilo terminou com um corpo sepultado na areia e uma fuga para o deserto. No entanto, lá o deserto fez seu lento trabalho de despojar Moisés para que Deus pudesse reconstruí-lo. O processo será repetido nos quarenta anos de peregrinação de Israel no deserto e refletido nos quarenta dias de jejum de Jesus no deserto. Quer se trate de quarenta anos quer de quarenta dias, o trabalho do deserto é indispensável.

O que nas montanhas e desertos atrai místicos e monges? Esses lugares desertos são espaços tranquilos e desatravancados que oferecem uma grande amplidão. É uma espécie de paisagem onde a alma pode desacelerar, fazer silêncio e no fim expandir-se. O Egito, em contrapartida, apresenta uma cultura consumista competitiva e ambiciosa, impulsionada pelo esquema de fabricar mais tijolos num ritmo incessante, 24 horas por dia e 7 dias por semana. Embora a maioria não conseguirá mais que levar uma vida inteira de escravos nas inclementes olarias, alguns terão sucesso, ficarão ricos e, com unhas e dentes, chegarão ao topo. Mas isso às custas de uma alma subdesenvolvida. É mais provável que a alma de um místico seja forjada no Vale da Morte do que no Vale do Silício.

Moisés havia sido expulso da elite de 1% dos egípcios e agora era um pastor nômade pastoreando um rebanho que não lhe pertencia. Ele não sabia, porém, que estava numa escola — a "escola do deserto da desilusão da meia-idade" — para que sua alma pudesse expandir-se. Moisés está começando a crescer. Moisés está prestes a despertar. E o despertar aconteceu de repente — se é que se pode considerar quarenta anos algo súbito. Ele estava guardando o rebanho de seu sogro perto do monte Sinai na parte mais remota quando notou o fenômeno: um arbusto em chamas. Um arbusto ardia sem parar, mas não era consumido pelo fogo. O arbusto estava em chamas, isso era óbvio, mas permanecia verde e vivo. Era um milagre. Moisés nunca havia visto nada parecido com isso.

"Que coisa espantosa!", pensou ele. "Por que o fogo não consome o arbusto? Preciso ver isso de perto."

Quando o SENHOR viu Moisés se aproximar para observar melhor, Deus o chamou do meio do arbusto: "Moisés! Moisés! [...] Tire as sandálias, pois você está pisando em terra santa".

Êxodo 3.3-5

Tudo o que Moisés se tornou e realizou — libertando os escravos judeus, partindo o mar Vermelho, entregando os Dez Mandamentos, conduzindo Israel para a Terra Prometida — começou com esse encontro místico. Moisés nota um arbusto. Ele está em chamas. Está em chamas, mas não se consome. Moisés se volta para ver esse fenômeno de perto, e ele se encontra com o Deus vivo! Antes do fim do encontro, Moisés aprende o misterioso e santo nome de Deus: Eu Sou o que Sou. Quando Moisés criou espaço para a contemplação, ele encontrou o divino. Quando Moisés despertou para o milagre, ele encontrou-se com Deus pessoalmente. Quando Moisés foi iluminado, a primeira coisa que aprendeu foi que estava pisando em terra santa. Tirou os sapatos porque é isso que se faz quando se pisa em terra sagrada. Naturalmente, se você por acaso visse um arbusto em chamas como Moisés viu, você poderia saber que está pisando em terra santa. Pois bem, eu vi o arbusto em chamas.

Encontro marcado no monte Sinai

Em 2006, marquei um encontro com Deus. Eu acabara de completar vinte e cinco anos de ministério e queria preparar-me para os próximos vinte e cinco. Pedi a Deus que se encontrasse comigo no topo do monte Sinai ao alvorecer do dia 9 de novembro de 2006. A data marcada era o trigésimo segundo aniversário do meu encontro de adolescente com Jesus Cristo — o acontecimento que determinou toda a trajetória de minha vida.

Depois de celebrar o vigésimo quinto aniversário de nossa igreja, Peri e eu voamos para Tel Aviv e em seguida para Eliat, junto ao mar Vermelho. Na manhã seguinte, cruzamos a pé a fronteira para o Egito onde nos encontramos com o nosso guia e o motorista que tínhamos contratado para nos levar ao monastério de Santa Catarina aos pés do monte Sinai. Nosso guia era um jovem chamado Mina, um carismático cristão ortodoxo egípcio. Nosso motorista era Ahmed, um beduíno local. Em vista da presença da Al-Qaeda no Sinai, Mina e Ahmed insistiram que levássemos conosco um guarda de segurança; assim juntou-se a nós Muhammad do Cairo — um ex-policial que carregava uma submetralhadora Uzi sob sua jaqueta. A viagem de Eliat para o monastério de Santa Catarina através do deserto do Sinai num Land Cruiser da Toyota é uma das mais memoráveis aventuras de minha vida. Ahmed preferiu um percurso *off-road* seguindo uma rota conhecida apenas pelos beduínos. A viagem foi emocionante e tortuosa — Mina e eu passamos mal devido ao enjoo de movimento. Ao longo do caminho, paramos para explorar um desfiladeiro de fenda e depois para compartilhar uma refeição com beduínos, experimentando sua famosa hospitalidade. Enquanto almoçávamos na tenda dos beduínos, eu soube que Muhammad e sua mulher haviam sofrido recentemente a perda de um filho pequeno. Foi um momento emocionante quando esse guarda de segurança muçulmano abriu seu coração para mim.

Chegamos ao monastério bem depois do anoitecer. Fomos informados que levaríamos quatro horas para chegar a pé ao pico do Sinai que fica numa altitude de aproximadamente 2.300 metros. Então, depois de apenas algumas horas de sono, já estávamos na trilha às duas da madrugada. Aconteceu que só levamos duas horas para chegar ao pico — o que significa que chegamos duas horas antes do alvorecer às seis. A temperatura estava abaixo de zero, e só vestíamos jaquetas leves. Durante duas horas, ficamos tiritando no escuro aguardando o alvorecer. Mas valeu a pena. O nascer do sol foi de tirar o fôlego — matizes de púrpura no horizonte com ninhos de neblina nos vales da hostil paisagem. Há uma razão para a Bíblia chamar o Sinai a montanha de Deus. Nessa santa montanha, Deus e eu realizamos nosso encontro marcado; conversamos sobre o futuro e o que eu deveria fazer no quarto de século seguinte. Em seguida, Peri e eu descemos o monte e pela primeira vez vi o monastério de Santa Catarina à luz do dia. Os monges cristãos passaram a morar ali no ano 330. Hoje, esse é o lugar mais antigo de culto contínuo no mundo cristão. Cinco vezes ao dia há quase setecentos anos cristãos vêm se reunindo para adorar a Deus nesse local.

Esse monastério também alberga a mais antiga biblioteca do mundo em operação contínua. Um dos monges ortodoxos gregos nos acompanhou num *tour* pelo local. Vimos a igreja deles; o *Ashtiname*, um documento garantindo proteção aos monges cristãos e a peregrinos, autenticado com a impressão da mão de Maomé; o *Cristo Pantocrator* original, o mais antigo ícone do mundo; e por fim o monge nos levou para o pátio do monastério e nos mostrou... *o arbusto ardente!* Sem ironia, o monge simplesmente nos contou que esse era o arbusto ardente onde Moisés encontrou Deus. Era um arbusto grande, de aparência comum, de cor um tanto vinácea. Tecnicamente, é um *rubus sanctus* ou arbusto espinhoso santo, que cresce no deserto e é conhecido por sua longevidade.

Mas será que esse é *o* arbusto ardente? É claro que é. O arbusto santo no pátio do monastério de Santa Catarina é o arbusto ardente exatamente como o gigantesco sicômoro atrás de minha casa é o arbusto ardente. O que faz do arbusto ardente o arbusto ardente não é o arbusto; é o despertar provocado em Moisés ou em mim ou em você. Elizabeth Barrett Browning diz isso melhor em poesia do que consigo dizer em prosa:

> A terra está repleta de céu,
> Cada arbusto comum ardendo com Deus,
> Mas só quem enxerga tira os sapatos;
> O resto fica por aí apanhando amoras.[1]

Numa época secular, quando tudo está em chamas, nós podemos perguntar: onde está Deus? Entendo o impulso e a natureza da pergunta (como acho que este livro mostrou), mas o místico poderia muito bem responder: onde *não* está Deus? Estaria tudo ardendo com aquilo que ameaça consumir o sagrado, ou seria a verdade mais profunda que tudo está ardendo com a glória de Deus? Com certeza, nosso mundo parece estar ardendo com forças destrutivas, mas a sábia poeta tem consciência de que essa não é toda a história; ela enxergou além do véu e dá seu testemunho de que a terra está abarrotada de céu e cada arbusto comum está ardendo com Deus. Cada arbusto, cada árvore, cada pássaro, cada folha de relva, cada grão de areia e todas as estrelas em si mesmas estão em chamas com a glória de Deus. No entanto, em nossa pressa para ser alguém ou fazer alguma coisa, nós passamos por tudo correndo e não enxergamos o amor de Deus sorrindo em todas as coisas. Isso cria a pobreza de alma que muitas vezes experimentamos como tédio. Deixamos de notar a glória tremeluzindo ao nosso redor.

Quando Moisés despertou para aquele esplendor, tirou as sandálias. O arbusto em chamas ali presente era de fato um milagre, mas o milagre não estava tanto no arbusto quanto em Moisés. Na meia-idade, depois de experimentar uma profunda perda, Moisés de repente despertou para o milagre e virou-se para contemplar a glória de Deus num simples arbusto de deserto. E, tendo-se virado, Moisés finalmente vislumbrou a brilhante beleza que existe em toda a criação.

O problema que afeta os filhos e as filhas da modernidade é que nós tão raramente olhamos para os lados. Estamos sempre a caminho de algum outro objetivo. Poucos momentos estamos plenamente presentes. Estamos distraídos, estamos com pressa, corremos por aí, estamos ansiosos, estamos com raiva, estamos vazios. Isso é o Egito, isso é a Babilônia, isso são os Estados Unidos, essa é a época desencantada, vazia de esplendor, esse é o mundo incendiado pela lanterna de um louco declarando a morte de Deus. Essa é uma vida que se tornou invivível e um Deus que se tornou irreconhecível. Precisamos de um deserto, de uma vastidão, um Sinai onde nossa alma possa aquietar-se e depois expandir-se. E não precisamos de Mina, Ahmed e Muhammad para chegar lá — nós mesmos podemos achar o caminho rumo à terra santa. Um parque, uma biblioteca, um quarto recolhido, uma catedral vazia, uma caminhada pelos bosques, algo assim será suficiente. É possível entrar na vastidão mística dentro de nós. Aprenda a sentar-se em alguma espécie de vastidão até que algo se incendeie. Tire os sapatos e comece a falar com Deus como se Deus estivesse presente, como se Deus estivesse perto, como se Deus ouvisse, como se Deus se preocupasse — porque tudo isso é verdade.

Se você *quer* encontrar Deus, comece acreditando. Acredite que Deus está *ali* antes de você ter qualquer prova disso. Procure Deus, fale com Deus, ouça Deus e veja o que acontece. Não espere até ter provas incontroversas antes de acreditar; ouse dar um salto e acreditar antes de ter provas. É quando saltamos por cima de qualquer abismo que desafiou nossa capacidade de crer que nós pairamos na fé e aterrissamos na terra santa. Terra santa — o lugar onde o que é comum começa a arder com a glória de Deus. Não é difícil crer quando você está em terra santa porque você ouve o Santo sussurrar: *Eu sou o que sou.*

O mundo está em chamas, mas há tipos diferentes de chamas. Existe a chama que Moisés contemplou no arbusto ardendo — um fogo de glória que resplandece, mas não consome. E existe o fogo da malevolência que consome e destrói — o fogo devorador do Geena. O que podemos fazer quando tudo está ardendo nas chamas da destruição? Podemos nos refugiar no amor de Deus. Podemos procurar a graça da resiliência que se encontra na oração. Podemos nos agarrar à esperança de que isso também vai passar. *E* podemos nos lembrar de que até um fogo que consome não é de todo um mal, pois ele pode levar à bondade de uma nova vida. Vemos isso na natureza. O fogo faz parte do ciclo da vida das grandes florestas. Alguns pinheiros produzem cones serôdios que são lacrados com uma resina muito forte, e os cones só se abrem quando essa resina é derretida pelo fogo. Outros pinheiros produzem sementes em seus cones que só germinam quando expostas ao fogo. Esses tipos de árvores dependem da destruição de uma floresta para se reproduzirem. Cones lacrados com resina e sementes ativadas pelo fogo aguardam as chamas que os vão liberar. Para essas árvores, o fogo não é o fim, mas o começo.

O cristianismo pode ser semelhante a essas árvores dependentes do fogo. Às vezes precisamos que algumas coisas velhas sejam eliminadas pelo fogo antes de podermos ter um novo crescimento. Nem sempre vamos nos dar conta de que parte do que apreciamos é apenas a madeira, o capim e a palha de uma religião morta que para nós seria melhor viver sem ela. Está claro que grande parte da igreja na Europa ocidental e nos Estados Unidos está sendo consumida nas chamas ardentes da modernidade, mas isso não significa que seja o fim da floresta cristã. Essas chamas podem ser de um fogo purificador que no fim vai libertar a igreja da inércia e abrir o caminho para uma inovação infundida pelo Espírito.

> Pois ninguém pode lançar outro alicerce além daquele que já foi posto, isto é, Jesus Cristo. Aqueles que constroem sobre esse alicerce podem usar vários materiais: ouro, prata, pedras preciosas, madeira, feno ou palha. No dia do juízo, porém, o *fogo* revelará que tipo de obra cada construtor realizou, e o *fogo* mostrará se a obra tem algum valor.
>
> 1Coríntios 3.11-13 (ênfase acrescida)

A fé e a igreja construídas sobre o alicerce de Cristo vão durar, mas de tempos em tempos nossa fé e a igreja precisam de um fogo consumidor a fim de se purificarem da madeira podre que acumularam. "Nosso Deus é um fogo consumidor" (Hb 12.29). Estamos atualmente enfrentando uma época em que os fogos do julgamento estão revelando a qualidade de nossa obra. A cristandade é sobretudo madeira morta, e quer a igreja perceba isso quer não, os fogos do secularismo que anunciam o fim da cristandade estão nos prestando um bom serviço. Que a velha madeira do nacionalismo religioso que escorou um império seja consumida pelas chamas seculares. Que a palha podre do cristianismo de consumo pereça na fornalha da tardia modernidade. Amém.

Os cones lacrados com resina do evangelho do reino e as sementes ativadas pelo fogo da fé genuína se abrirão e germinarão quando tudo estiver em chamas. Sairemos do fogo purificados e reduzidos, mas com a possibilidade de um novo crescimento. Não há como retornar para uma cristandade medieval, quando a igreja desfilava através da sociedade como um Colosso. Paciência, é assim que é. Aquilo sempre foi uma distorção grotesca do reino de Cristo — uma combinação incongruente de fé e império. Foi uma tentativa desastrosa de juntar a cruz e a espada num único instrumento. Foi uma insensatez que primeiro conduziu à loucura das Cruzadas e no fim levou milhões de cristãos alemães a saudar a suástica. Sim, a cristandade da Europa ocidental já está em sua maior parte em cinzas, e a versão americana da cristandade terá um fim semelhante, apesar dos sonhos desorientados da direita religiosa. Mas dormindo fechados no eterno reino do céu estão os cones lacrados com resina e as sementes ativadas pelo fogo, e eu estou ansioso para ver como se parecerá a futura fé purificada pelo fogo. Mesmo se não estiver vivo para ver isso, encontro conforto na crença de que meus netos e sua geração estarão. Que podemos fazer quando tudo está em chamas? Podemos nos alegrar sabendo que isso não é o fim.

O parque da apocatástase

Quando Peri e eu conduzimos nossos peregrinos em *tours* pela Terra Santa, uma de minhas iniciativas favoritas é levar as pessoas para o inferno. Literalmente. É uma breve caminhada saindo de nosso hotel em Jerusalém. Estou falando do vale de Ben-Hinom ou Geena. Fica logo abaixo dos muros do sul da Cidade Velha. Na Idade do Bronze, esse vale era um local de culto ao deus Moloque — uma prática abominável em que crianças eram sacrificadas no ventre em chamas de um ídolo com a cabeça de um touro. No século 7 a.C., o rei Josias "profanou o altar de Tofete, no vale de Ben-Hinom, a fim de que ninguém mais pudesse usá-lo para sacrificar no fogo um filho ou uma filha como oferta a Moloque" (2Rs 23.10). O vale depois disso tornou-se o lixão de Jerusalém — um depósito de resíduos podres cheios de vermes e fogo queimando constantemente.

Para os profetas hebreus do século 6 a.C. Isaías e Jeremias, e mais tarde para Jesus, a Geena foi usada como a imagem metafórica da destruição total ou, segundo as traduções antigas da Bíblia, do *inferno*. É um lugar horrível onde, como dizem Isaías e Jesus, "os vermes nunca morrem e o fogo nunca se apaga" (Mc 9.48). Jeremias e Jesus ambos advertiram Jerusalém de que, se seus habitantes não trilhassem o caminho da justiça e da paz, toda a cidade acabaria numa Geena em lenta combustão e cheia de vermes. Esse é o inferno. E Jerusalém foi para o inferno duas vezes, primeiro em 587 a.C. e de novo no ano 70 d.C. Esse é o inferno para o qual eu levo nossos peregrinos. Só que hoje em dia, ele é o Parque Gey Ben Hinom. Um belo espaço verde com gramados, árvores, fontes, casais caminhando de mãos dadas e um ocasional concerto noturno. Sempre gosto de levar para lá os peregrinos e dizer: "Bem-vindos ao inferno!". E depois aponto para uma placa onde se lê: "Não são permitidas fogueiras no parque". É uma bela lição sobre a esperança na reconciliação final.

Se pudesse mudar o nome do Parque Gey Ben Hinom, eu o chamaria o Parque da Apocatástase — o parque da restauração de todas as coisas. O que podemos fazer quando tudo está em chamas? Podemos nos lembrar de que nem mesmo o fogo do inferno é o fim da história. Tenho provas vivas de que até a Geena pode tornar-se um jardim, que até o inferno pode virar um parque — um parque-jardim onde nenhuma fogueira é permitida e as fontes nunca deixam de jorrar.

Demagogos podem surgir e desaparecer, mas Jesus é o Senhor. Impérios têm sua ascensão e queda, mas o reino de Cristo permanece. Desgraças vêm e vão, mas há estabilidade na paz de Cristo. Aconteça o que acontecer, eu acredito em Jesus Cristo, e graças a Jesus Cristo posso sorrir para o futuro. O mundo será salvo porque Jesus é o Salvador do mundo. Você pode chamar isso de raciocínio circular ou falácia lógica, mas eu o denomino o evangelho. Por ser Deus quem salva, no fim o mundo não poderá ser nada mais que salvo. A Geena em chamas de hoje é o futuro Parque da Apocatástase. Minha resoluta esperança está focada na transfiguração final deste mundo.

Quando Jesus orou no monte Tabor, ele foi transfigurado — seu rosto brilhou como o sol e suas vestes se tornaram deslumbrantemente brancas. A divindade interior tinha agora seu brilho exterior. Ele continuava sendo o Jesus de Nazaré com a feição de um judeu da Galileia, mas agora Pedro, Tiago e João o viram na plenitude de sua glória — a glória da transfiguração divina. E na transfiguração de Cristo eu encontro minha esperança para o mundo. Acredito que o que se viu na transfiguração de Cristo se tornará a realidade desta criação boa, mas decaída. Confesso que este mundo amado será finalmente redimido da escravidão da decadência e brilhará como o sol. Estou persuadido pelo testemunho do Espírito Santo de que algum dia tudo estará em chamas com a divina glória de Deus. Essa é a minha esperança. Convido você a abraçar essa esperança. Convido você a acreditar em Deus.

...

RINDO AGORA
Alguma coisa acontece comigo
Alguma coisa borbulha em mim
Como se eu fosse rir
Como se eu acabasse de ouvir a melhor notícia
Inesperada — porém, um segredo que sempre conheci
Eu acredito!
Como nunca antes
Acredito em Jesus
Acredito no que diz o evangelho
No que os credos confessam
Mas é mais do que isso
Como posso explicar?

Acredito no maior de todos os milagres
Na Palavra que se fez carne!
Para que Deus pudesse juntar-se a nós.
Deus tornando-se humano para curar a humanidade
Acredito que Jesus é tudo em tudo
Todas as coisas nele resumidas
Acredito na restauração de todas as coisas
Jesus é o Salvador do mundo!
É mais do que o resgate de algumas (sortudas/eleitas) almas
Arrebatadas ao céu no último segundo
Como prêmio de consolação para um Deus cujo plano não deu muito certo.
A salvação pertence ao Senhor
E é maior do que imaginamos
Eu olho para o crucifixo e acredito
Vejo o perfeito Amor provendo a Solução
Braços estendidos para abraçar até a inimizade
Curando com suas feridas um mundo que deu errado
Perdoado o pecado. Satanás vencido. A guerra abolida. A morte destruída. A criação restaurada.
Acredito na décima terceira revelação do amor divino da mística
Tudo ficará bem, e tudo ficará bem, e todos os tipos de coisas ficarão bem.
Eu não disse que posso explicar ou defender isso
Mas eu acredito nisso!
Acredito no evangelho que João nos deu
No profeta galileu que é Eu Sou
Pão. Luz. Porta. Pastor. Ressurreição. Videira. Caminho. Verdade. Vida.
Acredito que podemos comer sua carne e beber seu sangue

E viver eternamente
Acredito na visão que João viu
A nova Jerusalém. O novo céu. A nova terra.
Estou rindo agora porque acredito nisso quando Jesus disse:
Vejam, faço novas todas as coisas!
Estou rindo agora porque acredito que no fim o amor vence
O amor acredita em todas as coisas e espera todas as coisas
No que o amor acreditaria sobre Deus? Acredite nisso.
O que o amor esperaria para a humanidade? Espere por isso.
E ria agora
(Mesmo que só um pouquinho)

Agradecimentos

Escrever é um trabalho solitário, mas os escritores estão sempre ligados a amigos e colegas a quem devem um tributo de gratidão.

Agradeço à minha agente, Andrea Heinecke, por seu incentivo e ideias e especialmente pelo entusiástico apoio. Agradeço Elissa Schauer e muitos outros da InterVarsity Press por seu profissionalismo e ajuda editorial em dar a este livro seu formato final. Agradeço à maravilhosa equipe que lidera o trabalho na Igreja Palavra da Vida [Word of Life Church]. Sem essas pessoas eu não poderia seguir minha dupla vocação de pastor e escritor... E as tenho na conta de colegas e amigos.

Agradeço a António Lobo Antunes pela inspiração, mesmo que ele não acredite em inspiração. (Por que, Carlos?) Agradeço ao triunvirato de eminentes intelectos de uma época distante que são credores de grande parte da reflexão presente neste livro: Friedrich Nietzsche, Søren Kierkegaard e Fiódor Dostoiévski. (Espero numa época por vir encontrar-me com os três.)

Alguém disse que para levar uma vida feliz nós só precisamos de três coisas: algo pelo que se apaixonar, algo para ansiosamente aguardar e alguém para compartilhar isso. Acredito que isso é provavelmente verdade. Assim, agradeço aos meus amigos: Jason Upton — as ideias apresentadas neste livro foram inicialmente concebidas enquanto conversávamos sobre "desconstrução" num *pub* de Belfast. Kenneth Tanner — que encarna o que significa ser um pastor sábio quando tudo está em chamas. Joe Beach — nossa amizade começou com nosso amor por Bob Dylan dezesseis anos atrás, mas foi crescendo e se tornou uma profunda ligação de irmãos. Brad Jersak — grande parte da reflexão neste livro foi aguçada em conversas com esse perspicaz teólogo e caro amigo. (Também devo agradecer a Brad por seu muito generoso prefácio.)

Uma vez que estamos apresentando "reconhecimentos" de gratidão, devo reconhecer que neste livro estou escrevendo principalmente para os meus netos — Jude, Finn, Evey, Liam, Mercy, Hope, Pax e Honor. Esta é minha humilde tentativa de ajudar a tornar o cristianismo possível para eles e sua geração.

Finalmente, agradeço à minha primeira editora, alma gêmea, companheira de vida e melhor amiga — Peri Zahnd. Para variar, dedico meus livros a diferentes pessoas, mas cada livro que já escrevi ou que venha a escrever é realmente dedicado a ela.

Notas

Capítulo 1

[1] *O senhor dos anéis: A sociedade do anel*, filme dirigido por Peter Jackson (Burbank, CA: New Line Cinema, 2001).

[2] Friedrich Nietzsche, *The Gay Science: With a Prelude in Rhymes and an Appendix of Songs*, trad. Walter Kaufman (New York: Vintage Books, 1974), p. 181. [No Brasil, *A gaia ciência*, trad. Paulo César de Souza. São Paulo: Companhia das Letras, 2012.]

[3] Ibid., p. 182.

[4] Ibid., p. 279.

[5] Para Nietzsche, o super-homem seria macho e somente macho porque sua visão das mulheres era muito vil. Ele afirmou: "As mulheres ainda são gatos e pássaros. Ou, na melhor das hipóteses, vacas". Friedrich Nietzsche, *Thus Spoke Zarathustra*, trad. Clancy Martin (New York: Barnes & Noble Classics, 2005), p. 26. [No Brasil, *Assim falou Zaratustra*, trad. Paulo César de Souza. São Paulo: Companhia das Letras, 2011.]

[6] Ibid., p. 13.

[7] Friedrich Nietzsche, *Twilight of the Idols* (Indianapolis: Hackett, 1997), p. 6. [No Brasil, *Crepúsculo dos ídolos*, trad. Paulo César de Souza. São Paulo: Companhia das Letras, 2017.]

[8] Friedrich Nietzsche, *Why I Am So Wise*, trad. R. J. Hollingdale (Londres: Penguin, 2004), p. 59. [No Brasil, *Por que eu sou tão sábio*, trad. Marcelo Backes. São Paulo: L&PM, 2016.]

[9] Jacques Derrida, "Otobiographies: The Teaching of Nietzsche and the Politics of the Proper Name", trad. Avital Ronell, *The Ear of the Other* (Lincoln, NE: University of Nebraska Press, 1988), p. 31.

[10] Nietzsche, *Gay Science*, p. 182.

[11] Kenneth Lantz, *The Dostoevsky Encyclopedia* (Westport, CT: Greenwood Press, 2004), p. 21.
[12] Søren Kierkegaard, *Attack Upon "Christendom"* (Princeton, NJ: Princeton University Press, 1944), p. 126.

Capítulo 2

[1] Randy S. Woodley, *Shalom and the Community of Creation* (Grand Rapids, MI: Eerdmans, 2012), p. 68.
[2] O restante desta seção é ligeiramente adaptado de Brian Zahnd, prefácio a Austin Fisher, *Faith in the Shadows: Christ in the Midst of Doubt* (Downers Grove, IL: InterVarsity Press, 2018).
[3] Ken Ham é um criacionista da terra jovem e fundador e CEO da Answers in Genesis [Respostas em Gênesis], a organização que administra o Museu da Criação e a Experiência da Arca em Kentucky.
[4] O material neste parágrafo e no seguinte foi adaptado de uma postagem no *site* do autor: Brian Zahnd, "Deconstruction or Restoration", Brian Zahnd (blog), 27 de abril de 2017, <https://brianzahnd.com/2016/04/deconstruction-or-restoration>.
[5] John D. Caputo, *Deconstruction in a Nutshell: A Conversation with Jacques Derrida* (New York: Fordham University Press, 1997), p. 32. [N. do T.: o trocadilho no original é praticamente intraduzível.]
[6] Cornel West, *The Cornel West Reader* (New York: Civitas Books, 2000), p. 132.

Capítulo 3

[1] Fyodor Dostoevsky, *The Idiot*, trad. Richard Pevear e Larissa Wolokhonsky (Nova York: Everyman's Library, 2002), p. 382. [No Brasil, *O idiota*, trad. Paulo Bezerra. São Paulo: Editora 34, 2002.]
[2] Ken Follett, *Notre-Dame: A Short History of the Meaning of Cathedrals* (Nova York: Viking, 2019), p. 9. [No Brasil, *Notre-Dame: A história de uma catedral*. São Paulo: Arqueiro, 2020.]

[3] Ibid., p. 7.
[4] Joni Mitchell, *Big Yellow Taxi*, Reprise, 1970.
[5] Elian Peltier, et al., "Notre-Dame Came Far Closer to Collapsing Than People Knew", *New York Times*, 18 de julho de 2019, <www.nytimes.com/interactive/2019/07/16/world/europe/notre-dame.html>.
[6] Victor Hugo, *The Hunchback of Notre Dame* (Londres, CRW Publishing Limited, 2004), liv. 7, cap. 1. [No Brasil, *O corcunda de Notre--Dame*, trad. Eduardo Brandão. São Paulo: Penguin/Companhia das Letras, 2018.]

Capítulo 4
[1] Blaise Pascal, *Pensées* 423, trad. A. J. Krailsheimer (New York: Penguin, 1966), p. 154. [No Brasil, *Pensamentos*, trad. Mário Laranjeira. São Paulo: Martins Fontes, 2005.]
[2] Voltaire, "Epístola ao autor de *Três impostores*", 1770.
[3] Cynthia Bourgeault, *The Meaning of Mary Magdalene: Discovering the Woman at the Heart of Christianity* (Boulder, CO: Shambhala, 2010), p. 15.
[4] Existem autores que usam o termo *Jesus histórico* para diferenciá--lo do *Cristo da fé*. Mas eu descarto essas diferenciações. O Jesus histórico é o Cristo da fé — mas é apenas ao Cristo da fé que nós temos acesso.
[5] Ignatius IV, *The Resurrection and Modern Man* (Crestwood, NY: St. Vladimir's Seminary Press, 1985), p. 73.
[6] Stanley Hauerwas apresentou-me este conceito: "Os evangélicos têm duas coisas: Jesus e energia. E eu admiro as duas!". Concordo com esse *insight* – os evangélicos *realmente* têm energia. Stanley Hauerwas, "Stanley Hauerwas on His Evangelical Audience", YouTube acesso em 25 de fevereiro de 2021, <www.youtube.com/watch?v=jGsay7xmB7s>.
[7] T. S. Eliot, "Four Quartets", *Collected Poems 1909-1962* (Orlando: Harcourt, 1968), p. 208.

Capítulo 5

[1] Leszek Kolakowski, citado em Gerhard Lohfink, *No Irrelevant Jesus*, trad. Linda M. Maloney (Collegeville, MN: Liturgical Press, 2014), p. 2.
[2] Fyodor Dostoevsky, *The Brothers Karamazov*, trad. Richard Pevear e Larissa Volokhonsky (San Francisco: North Point Press, 1990), p. 249. [No Brasil, *Os irmãos Karamázov*, trad. Paulo Bezerra. São Paulo: Editora 34, 2012.]
[3] Ibid., p. 249-50.
[4] Ibid., p. 250.
[5] Ibid., p. 252.
[6] Ibid., p. 258.
[7] Ibid., p. 260.
[8] Ibid., p. 262.
[9] Ibid., p. 259.
[10] Ibid., p. 263.
[11] Ibid., p. 322.
[12] M. Craig Barnes, *When God Interrupts: Finding New Life Through Unwanted Change* (Downers Grove: IL: InterVarsity Press, 1996), p. 123.

Capítulo 6

[1] George MacDonald, *Lilith* (Doylestown, PA: Wildside Press, 2002), p. 20. [No Brasil, *Lilith: um romance*, trad. José Fernando Cristófalo. Rio de Janeiro: Thomas Nelson Brasil, 2021.]
[2] Bruce Cockburn, "Pacing the Cage", *Jan Douwe Kroeske: 2 Meter Sessions #712*, 2020.
[3] Aleksandr Solzhenitsyn, *The Gulag Archipelago*, pt. 4, "The Soul and Barbed Wire" (New York: HarperCollins, 1974), p. 613. [No Brasil, *Arquipélago Gulag*, trad. Lucas Simone et al. São Paulo: Carambaia, 2019.]
[4] N. T. Wright, *Paul: A Biography* (New York: HarperCollins, 2018), p. 52. [No Brasil, *Paulo: Uma biografia*. Rio de Janeiro: Thomas Nelson Brasil, 2018.]

Capítulo 7

[1] Karl Barth, *Church Dogmatics*, vol. 1: *The Doctrine of the Word of God*, pt. 2 (Peabody, MA: Hendrickson, 1956), p. 21.
[2] Douglas A. Campbell, *Pauline Dogmatics* (Grand Rapids, MI: Eerdmans, 2020), p. 40-41.
[3] William Shakespeare, *Hamlet*, ato 1, cena 5.
[4] Ver Anselm of Canterbury, *Proslogion*, obra escrita em 1077–1078, disponível em: <https://web.archive.org/web/19970512040225/http://www3.baylor.edu/~Scott_Moore/Anselm/Proslogion.html>.
[5] James H. Cone, "Christianity and Black Power", *Risks of Faith: The Emergence of a Black Theology of Liberation, 1968-1998* (Boston: Beacon, 1999), p. 14-15.

Capítulo 8

[1] René Descartes, citado em A. C. Grayling, *Descartes: The Life and Times of a Genius* (New York: Walker, 2003), p. 162-163.
[2] Elizabeth A. Johnson, *Ask the Beasts: Darwin and the God of Love* (London: Bloomsbury, 2014), p. 126.
[3] Ludwig Wittgenstein, *Tractatus Logico-Philosophicus* (New York: Dover 1998), p. 89. [No Brasil, *Tractatus Logico-Philosophicus*, trad. Luiz Henrique Lopes dos Santos. São Paulo: Edusp, 2017.]
[4] Søren Kierkegaard, *Concluding Unscientific Postcript to Philosophical Fragments*, ed. e trad. Howard W. Hong (Princeton, NJ: Princeton University Press, 1992), 1:335.
[5] Blaise Pascal, *Pensées*, trad. A. J. Krailsheimer (London: Penguin, 1966), p. 285-286.
[6] Ibid., p. 127.
[7] Søren Kierkegaard, em *Provocations: Spiritual Writings of Kierkegaard*, comp. e ed. Charles E. Moore (Maryknoll, NY: Orbis, 2003), p. 78-79.
[8] Moore, *Provocations*, p. xxvi.

⁹ Existe uma pós-modernidade de esquerda que, segundo muitos de nós afirmam, leva somente ao niilismo. Mas existe uma pós-modernidade de direita que vai além do beco sem saída da modernidade de criticar todas as tradições mediante a descoberta de uma moldura histórica em alguma tradição mais antiga. Para mim, essa tradição mais antiga é o cristianismo, mas essa tradição deve ser vivida. É o que Kierkegaard quis dizer quando afirmou: "Todas as verdades são inseparáveis da subjetividade".

¹⁰ Sergius Bulgakov, *Unfading Light*, trad. Thomas Allan Smith (Grand Rapids, MI: Eerdmans, 2012), p. 10.

Capítulo 9

¹ Karl Rahner, *Opportunities for Faith: Elements of a Modern Spirituality*, trad. Edward Quinn (New York: Seabury, 1974), p. 123.

² Karl Rahner, *The Mystical Way in Everyday Life*, trad. Annemarie S. Kidder (Maryknoll, NY: Orbis, 2010), p. xxi.

³ Ibid., p. xvii.

⁴ Conto essa história no início de meu livro *A Farewell to Mars* (Colorado Springs, CO: David C. Cook, 2014).

Capítulo 10

¹ Walter Brueggemann, *Praying the Psalms: Engaging Scripture and the Life of the Spirit*, 2ª. ed. (Eugene, OR: Cascade Books, 2007), p. 3.

² David Bentley Hart, *The New Testament: A Translation* (New Haven, CT: Yale University Press, 2019), p. 336.

³ Gerhard Lohfink, *No Irrelevant Jesus*, trad. Linda M. Maloney (Collegeville, MN: Liturgical Press, 2014), p. 314.

⁴ C. S. Lewis, dedicatória a *The Lion, the Witch and the Wardrobe*, Chronicles of Narnia (New York: HarperTrophy, 1994). [No Brasil, *O leão, a feiticeira e o guarda-roupa*, As Crônicas de Nárnia, trad. Paulo Mendes Campos. São Paulo: WMF Martins Fontes, 2009.]

[5] Walt Whitman, "Passage to India", em *Leaves of Grass* (New York: Barnes & Noble Books, 1993), p. 345. [No Brasil, *Folhas de relva*, trad. Rodrigo Garcia Lopes. São Paulo: Iluminuras, 2008.]
[6] Gustavo Gutiérrez, *On Job: God-Talk and the Suffering of the Innocent* (Maryknoll, NY, Orbis Books, 1987), p. 1. [No Brasil, *Falar de Deus a partir do sofrimento do inocente: Uma reflexão sobre o livro de Jó*. Petrópolis, RJ: Vozes, 1987.]
[7] William Shakespeare, *Hamlet*, ato 3, cena 1.
[8] Lewis, *The Lion, the Witch and the Wardrobe*, p. 188.

Capítulo 11

[1] Henri J. M. Nouwen, *Behold the Beauty of the World: Praying with Icons* (Notre Dame, IN: Ave Maria Press, 1987), p. 30-31.
[2] Ver Jared Diamond, *Germs, Guns, and Steel: The Fates of Human Societies* (New York: Norton, 1999).
[3] Karl Rahner, *Karl Rahner in Dialogue: Conversations and Interviews 1965-1982* (Spring Valley, NY: Crossroad, 1986), p. 207.
[4] Julian of Norwich, *Revelations of Divine Love*, ed. Halcyon Backhouse (London: Hodder & Stoughton, 1987), p. 86. [No Brasil, *Revelações do amor divino*. Petrópolis, RJ: Vozes, 2018.]
[5] Lazar Puhalo, correspondência pessoal com o autor, 27 de maio de 2019.
[6] David Bentley Hart, *Theological Territories* (Notre Dame, IN: Notre Dame Press, 2020), p. 115.

Conclusão

[1] Elizabeth Barrett Browning, *Aurora Leigh* (Oxford: Oxford University Press. 2008), p. 245.

Compartilhe suas impressões de leitura,
mencionando o título da obra, pelo e-mail
opiniao-do-leitor@mundocristao.com.br
ou por nossas redes sociais

Esta obra foi composta com tipografia Palatino
e impressa em papel Pólen Natural 70 g/m² na gráfica Imprensa da Fé